LOS CUATRO VIAJES DEL ALMIRANTE Y SU TESTAMENTO

CRISTOBAL COLON

LOS CUATRO VIAJES DEL ALMIRANTE Y SU TESTAMENTO

Edición y prólogo de
Ignacio B. Anzoátegui

Décima edición

COLECCION AUSTRAL

ESPASA CALPE

Primera edición: 26-IX-1946
Décima edición: 30-I-1991

© Espasa-Calpe, S. A., Madrid, 1946
—

Maqueta de cubierta: Enric Satué
—

Depósito legal: M. 526—1991

ISBN 84—239—0633—7

Impreso en España
Printed in Spain

Talleres gráficos de la Editorial Espasa-Calpe, S. A.
Carretera de Irún, km. 12,200. 28049 Madrid

ÍNDICE

PRÓLOGO

Una de las pocas leyes que la excepción no confirma es aquella que establece que todo hombre nacido para realizar un acto extremadamente importante debe carecer de su partida de nacimiento. Naturalmente que esta comprobación no tiene por objeto demostrar la inutilidad de los registros parroquiales o civiles, sino recordar sólo —por un procedimiento indirecto— que Cristóbal Colón, nacido para descubrir un continente, realizó un acto extremadamente importante.

La carencia de la partida de nacimiento importa para cualquier hombre de nuestros días un quebradero de cabeza: el mismo quebradero de cabeza que aflige en nuestros días a los historiadores de Colón y que a él le tenía sin cuidado.

Sus historiadores oficiales afirmaron que había nacido en Génova, y para ello se fundaban en las manifestaciones del propio navegante: «que, siendo yo nacido en Génova», «pues de ella salí y en ella nací», «como pobre extranjero»... Pero hubo otros historiadores que entraron a desconfiar de aquellas manifestaciones, y, desconfiando y desconfiando, llegaron a afirmar que era natural de Galicia y que, además, era sobrino y servidor de un pirata, su tío.

La sangre no llegó al río: se la disputaron el Atlántico y el Mediterráneo, los piratas gallegos y los colchoneros genoveses. Y el misterio del nacimiento de Colón y la enconada disputa de los historiadores de uno y otro bando amnistiaron con amnistía de olvido el crimen de usurpación de nombre cometido inocentemente por Vespucio, común denominador de América.

Creo lealmente que la nacionalidad geográfica de Colón no interesa. La geografía es un mero accidente nacional que no determina por sí solo una nacionalidad.

La nacionalidad es un destino: un destino cargado de penas que han de purgarse y de glorias que han de ganarse, de dejaciones que duelen como pecados y de irredentismos que chisporrotean como esperanzas.

Colón nació —Dios sabe dónde— para que España redimiera a un mundo irredento. Nació para eso y, por lo tanto, nació en eso. Su partida de nacimiento es su punto de partida. Su punto de partida y de llegada, porque en la mañana de Palos ya amanecía América; esta América cuyo descubrimiento y cuidado le encomendaron los reyes «aunque no fuese sino piedras y peñas».

Como el otro Cristóbal, nació para llevar a Cristo —*Cristo ferens*— y, dando tumbos, le depositó sano y salvo en una isla que él creyó un continente y luego en un continente que creyó una isla. Traía a Cristo y además traía un contrato de explotación, que los reyes cumplieron o no cumplieron o que él cumplió o no cumplió —porque para cumplir un contrato es menester no sólo querer cumplirlo, sino también saberlo cumplir, y para eso es necesario saber administrar los bienes que han de ser administrados y, sobre todo, saber administrar a los hombres que intervienen en la administración—. Colón triunfó descubriendo, pero fracasó administrando; y los reyes, instrumentos de la divina voluntad evangelizadora, no podían honradamente supeditar el éxito de la evangelización al pequeño gusto de satisfacer a los historiadores del futuro fracasando junto con el administrador fracasado.

La grandeza del descubridor nada tiene que ver con su incapacidad como empresario. A él se le cruzó la idea de comunicarse con el Asia por un camino distinto de los transitados hasta entonces, y, fuera de él o de otros, él se la comunicó a los reyes. Y acertó por eso: por lo que tenía de loco y de poeta; y por eso España se jugó en la empresa: por lo que tenía de locura y de poesía. El eco de la voz que sonaba: «¡Ancha es Castilla!» despertaba ya en sus ojos la tentación de la anchura del Atlántico. España se lanzó al mar para evangelizar a los asiáticos tomándolos por la espalda o para evangelizar, en último caso, a los tritones y a las sirenas. Un botero cuya nacionalidad ignoraba le ofreció sus servicios, y con él partió, rumbo a la conquista de lo inconquistable, como sólo saben hacerlo las almas de rumbo. Partió, no en plan de colonización, sino de entrega; no para explotar una tierra, sino para volcar en ella su ser y su sangre, para volcarse con alma y vida. La traía un botero a quien ella llamó su almirante; pero las estrellas que a él le guiaban a ella le pertenecían: porque a ella estaba destinada —a ella, como administradora de las más altas aventuras— la alta condecoración de la Cruz del Sur.

IGNACIO B. ANZOÁTEGUI.

EL PRIMER VIAJE A LAS INDIAS

*Relación compendiada por Fray Bartolomé
de las Casas*

In Nomine D. N. Jesu Christi

Porque, cristianísimos y muy altos y muy excelentes y muy poderosos príncipes, Rey y Reina de las Españas y de las islas de la mar, Nuestros Señores, este presente año de 1492, después de Vuestras Altezas haber dado fin a la guerra de los moros que reinaban en Europa y haber acabado la guerra en la muy grande ciudad de Granada, adonde este presente año a 2 días del mes de enero por fuerza de armas vide poner las banderas reales de Vuestras Altezas en las torres de Alfambra, que es la fortaleza de la dicha ciudad, y vide salir al rey moro a las puertas de la ciudad y besar las reales manos de Vuestras Altezas y del Príncipe Mi señor, y luego en aquel presente mes, por la información que yo había dado a Vuestras Altezas de las tierras de India y de un príncipe que es llamado *Gran Can,* que quiere decir en nuestro romance Rey de los Reyes, como muchas veces él y sus antecesores habían enviado a Roma a pedir doctores en nuestra santa fe porque le enseñasen en ella y que nunca el Santo Padre le había proveído y se perdían tantos pueblos creyendo en idolatrías o recibiendo en sí sectas de perdición, Vuestras Altezas, como católicos cristianos y Príncipes amadores de la santa fe cristiana y acrecentadores de ella y enemigos de la secta de Mahoma y de todas idolatrías y herejías, pensaron de enviarme a mí, Cristóbal Colón, a las dichas partidas de India para ver los dichos príncipes y los pueblos y tierras y la disposición de ellas y de todo y la manera que se pudiera tener para la conversión de ellas a nuestra santa fe; y ordenaron que yo no fuese por tierra al Oriente, por donde se costumbra de andar, salvo por el camino de Occidente, por donde hasta hoy no sabemos por cierta fe que haya pasado nadie. Así que, después de haber echado fuera todos los judíos de todos vuestros reinos y señoríos, en el mismo mes de enero mandaron Vuestras Altezas a mí que con armada suficiente me fuese a las dichas partidas de India; y para ello me hicieron grandes mercedes y me anoblecieron que dende en adelante yo me llamase *Don* y fuese Almirante Mayor de la mar océana e Visorrey y Gobernador perpetuo de todas las islas y tierra firme que yo descubriese y ganase y de aquí adelante se descubriesen y ganasen en la mar océana, y así sucediese mi hijo mayor y así de grado en grado para siempre jamás. Y partí yo de la ciudad de Granada a 12 días del mes de mayo del mesmo año de 1492, en sábado. Vine a la villa de Palos, que es puerto de mar, adonde armé yo tres navíos muy aptos para semejante fecho, y partí del dicho puerto muy abastecido de muy muchos mantenimientos y de mucha gente de la mar, a 3 días del mes de agosto del dicho año en un viernes, antes de la salida del sol con media hora, y llevé el camino de las islas de Canaria de Vuestras Altezas, que son en la dicha mar océana, para de allí tomar mi derrota y navegar tanto que yo llegase a las Indias, y dar la embajada de Vuestras Altezas a aquellos príncipes y cumplir lo que así me habían mandado; y para esto pensé de escribir todo este viaje muy puntualmente de día en día todo lo que hiciese y viese y pasase, como adelante se verá. También, Señores Príncipes, allende describir cada noche lo que el día pasare, y el día lo que la noche navegare, tengo propósito de hacer carta nueva de navegar, en la cual situaré toda la mar y tierras del mar Océano en sus propios lugares debajo su viento, y más, componer un libro y poner todo por el semejante por pintura, por latitud del equinocial y longitud del Occidente; y sobre todo cumple mucho que yo olvide el sueño y tiente mucho el navegar, porque así cumple, las cuales serán gran trabajo.

Viernes 3 de agosto.—Partimos viernes 3 días de agosto de 1492 años de la barra de Saltes a las ocho horas. Anduvimos con fuerte virazón hasta el poner del sol hacia el Sur sesenta millas, que son quince leguas; después al Sudueste y al Sur cuarta del Suroeste, que era el camino para las Canarias.

Sábado 4 de agosto.—Anduvieron al Sudueste cuarta del Sur.

Domingo 5 de agosto.—Anduvieron su vía entre día y noche más de cuarenta leguas.

Lunes 6 de agosto.—Saltó o desencajóse el gobernario a la carabela *Pinta,* donde iba Martín Alonso Pinzón, a lo que se creyó y sospechó por industria de un Gomes Rascón y Cristóbal Quintero, cuya era la carabela, porque le pesaba ir aquel viaje; y dice el Almirante que antes que partiese habían hallado en ciertos deveses y grisquetas, como dicen, a los dichos. Vídose allí el Almirante en gran turbación por no poder ayudar a la dicha carabela sin su peligro, y dice que alguna pena perdía con saber que Martín Alonso Pinzón era persona esforzada y de buen ingenio. En fin, anduvieron entre día y noche veintinueve leguas.

Martes 7 de agosto.—Tornóse a saltar el gobernalle a la *Pinta,* y adobáronlo y anduvieron en demanda de la isla del Lanzarote, que es una de las islas de Canarias, y anduvieron entre día y noche veinticinco leguas.

Miércoles 8 de agosto.—Hobo entre los pilotos de las tres carabelas opiniones diversas dónde estaban, y el Almirante salió más verdadero; y quisiera ir a gran Canaria por dejar la carabela *Pinta,* porque iba mal acondicionada del gobernario y hacía agua, y quisiera tomar allí otra si la hallara. No pudieron tomarla aquel día.

Jueves 9 de agosto.—Hasta el domingo en la noche no pudo el Almirante tomar la Gomera, y Martín

Alonso quedóse en aquella costa de gran Canaria
por mandado del Almirante, porque no podía navegar. Después tomó el Almirante a Canaria (o a Tenerife), y adobaron muy bien la *Pinta* con mucho
trabajo y diligencias del Almirante, de Martín Alonso y de los demás; y al cabo vinieron a la Gomera.
Vieron salir gran fuego de la sierra de la isla de
Tenerife, que es muy alta en gran manera. Hicieron
la *Pinta* redonda, porque era latina; tornó a la Gomera domingo a 2 de septiembre con la *Pinta* ado-
bada.

Dice el Almirante que juraban muchos hombres
honrados españoles que en la Gomera estaban con
Doña Inés Peraza, madre de Guillén Peraza, que después fue el primer Conde de la Gomera, que eran
vecinos de la isla de Hierro, que cada año vían tierra
al Oueste de las Canarias, que es al Poniente; y otros
de la Gomera, afirmaban otro tanto con juramento.
Dice aquí el Almirante que se acuerda que estando
en Portugal el año de 1484 vino uno de la isla de la
Madera al Rey a le pedir una carabela para a esta
tierra que vía, el cual juraba que cada año la vía y
siempre de una manera. Y también dice que se acuerda que lo mismo decían en las islas de los Azores
y todos éstos en una derrota y en una manera de
señal y en una grandeza. Tomada, pues, agua y
leña y carnes y lo demás que tenían los hombres
que dejó en la Gomera el Almirante cuando fue a
la isla de Canaria a adobar la carabela *Pinta*, finalmente se hizo a la vela de la dicha isla de la Gomera con sus tres carabelas jueves a 6 días de septiembre.

Jueves 6 de septiembre.—Partió aquel día por la
mañana del puerto de la Gomera y tomó la vuelta
para ir a su viaje. Y supo el Almirante de una carabela que venía de la isla del Hierro que andaban
por allí tres carabelas de Portugal para lo tomar:
debía de ser la invidia que el Rey tenía por haberse
ido a Castilla. Y anduvo todo aquel día y noche en
calma, y a la mañana se halló entre la Gomera y
Tenerife.

Viernes 7 de septiembre.—Todo el viernes y el sábado, hasta tres horas de noche, estuvo en calma.

Sábado 8 de septiembre.—Tres horas de noche sábado comenzó a ventar Nordeste, y tomó su vía y camino al Oueste. Tuvo mucha mar por proa que le estorbaba el camino; y andaría aquel día nueve leguas con su noche.

Domingo 9 de septiembre.—Anduvo aquel día diez y nueve leguas, y acordó contar menos de las que andaba, porque si el viaje fuese luengo no se espantasen ni desmayase la gente. En la noche anduvo ciento y veinte millas; a diez millas por hora, que son treinta leguas. Los marineros gobernaban mal, decayendo sobre la cuarta del Nordeste, y aún a la media partida: sobre lo cual les riñó el Almirante muchas veces.

Lunes 10 de septiembre.—En aquel día con su noche anduvo sesenta leguas, a diez millas por hora, que son dos leguas y media; pero no contaba sino cuarenta y ocho leguas, porque no se asombrase la gente si el viaje fuese largo.

Martes 11 de septiembre.—Aquel día navegaron a su vía, que era el Oueste, y anduvieron veinte leguas y más, y vieron un gran trozo de mástel de nao, de ciento y veinte toneles, y no lo pudieron tomar. La noche anduvieron cerca de veinte leguas, y contó no más de diez y seis por la causa dicha.

Miércoles 12 de septiembre.—Aquel día, yendo su vía, anduvieron en noche y día treinta y tres leguas, contando menos por la dicha causa.

Jueves 13 de septiembre.—Aquel día con su noche, yendo a su vía, que era al Oueste, anduvieron treinta y tres leguas, y contaba tres o cuatro menos. Las corrientes le eran contrarias. En este día, al comienzo de la noche, las agujas noruesteaban, y a la mañana noruesteaban algún tanto.

Viernes 14 de septiembre.—Navegaron aquel día
su camino al Oueste con su noche, y anduvieron
veinte leguas; contó alguna menos. Aquí dijeron
los de la carabela *Niña* que habían visto un garjao
y un rabo de junco; y estas aves nunca se apartan
de tierra cuando más veinticinco leguas.

Sábado 15 de septiembre.—Navegó aquel día con su
noche veintisiete leguas su camino al Oueste y algunas más. Y en esta noche al principio de ella vieron
caer del cielo un maravilloso ramo de fuego en la
mar, lejos de ellos cuatro o cinco leguas.

Domingo 16 de septiembre.—Navegó aquel día y la
noche a su camino al Oueste. Andarían treinta y
nueve leguas, pero no contó sino treinta y seis. Tuvo
aquel día algunos nublados, lloviznó. Dice aquí el
Almirante que hoy y siempre de allí adelante hallaron aires temperantísimos, que era placer grande el
gusto de las mañanas, que no faltaba sino oír ruiseñores. Dice él: «y era el tiempo como abril en el
Andalucía». Aquí comenzaron a ver muchas manadas * de hierba muy verde que poco había, según le
parecía, que se había desapegado de tierra, por lo
cual todos juzgaban que estaba cerca de alguna isla;
pero no de tierra firme, según el Almirante, que
dice: «porque la tierra firme hago más adelante.»

Lunes 17 de septiembre.—Navegó a su camino el
Oueste, y andarían en día y noche cincuenta leguas
y más. No asentó sino cuarenta y siete. Ayudábales
la corriente. Vieron mucha hierba y muy a menudo,
y era hierba de peñas y venía la hierba de hacia Poniente. Juzgaban estar cerca de tierra. Tomaron los
pilotos el Norte marcándolo, y hallaron que las agujas noruesteaban una gran cuarta, y temían los marineros y estaban penados y no decían de qué. Cono-
ciólo el Almirante; mandó que tornasen a marcar
el Norte en amaneciendo, y hallaron que estaban
buenas las agujas. La causa fue porque la estrella
que parece hace movimiento y no las agujas. En

* Quizá *manchas.*

amaneciendo, aquel lunes vieron muchas más hierbas y que parecían hierbas de ríos, en los cuales hallaron un cangrejo vivo, el cual guardó el Almirante. Y dice que aquellas fueron señales ciertas de tierra, porque no se hallan ochenta leguas de tierra. El agua de la mar hallaban menos salada desde que salieron de las Canarias; los aires siempre más suaves. Iban muy alegres todos, y los navíos quien más podía andar andaba por ver primero tierra. Vieron muchas toninas, y los de la *Niña* mataron una. Dice aquí el Almirante que aquellas señales eran del Poniente, «donde espero en aquel alto Dios, en cuyas manos están todas las victorias, que muy presto nos dará tierra». En aquella mañana dice que vido un ave blanca que se llama *rabo de junco* que no suele dormir en la mar.

Martes 18 de septiembre.—Navegó aquel día con su noche, y andarían más de cincuenta y cinco leguas, pero no asentó sino cuarenta y ocho. Llevaba todos estos días mar muy bonanza, como en el río de Sevilla. Este día Martín Alonso, con la *Pinta*, que era gran velera, no esperó, porque dijo al Almirante desde su carabela que había visto gran multitud de aves ir hacia el Poniente, y que aquella noche esperaba ver tierra y por eso andaba tanto. Apareció a la parte del Norte una gran cerrazón, que es señal de estar sobre la tierra.

Miércoles 19 de septiembre.—Navegó su camino, y entre día y noche andarían veinticinco leguas, porque tuvieron calma. Escribió veintidós. Este día, a las diez horas, vino a la nao un alcatraz, y a la tarde vieron otro, que no suele apartarse veinte leguas de tierra. Vinieron unos lloviznos sin viento, lo que es señal cierta de tierra. No quiso detenerse barloventeando el Almirante para averiguar si había tierra; más de que tuvo por cierto que a la banda del Norte y del Sur había algunas islas, como la verdad lo estaban y él iba por medio de ellas. Porque su voluntad era de seguir adelante hasta las Indias, «y el tiempo es bueno, porque placiendo a Dios a la vuelta se vería todo»: éstas son sus palabras... Aquí descubrieron sus puntos los pilotos: el de la *Niña* se hallaba de las Canarias cuatrocientas cuarenta leguas; el de la *Pinta,* cuatrocientas veinte; el de la donde iba el Almirante, cuatrocientas justas.

Jueves 20 de septiembre.—Navegó este día al Oueste cuarta del Norueste y a la media partida, porque se mandaron muchos vientos con la calma que había. Andarían hasta siete u ocho leguas. Vinieron a la nao dos alcatraces y después otro, que fue señal de estar cerca de tierra; y vieron mucha hierba, aunque el día pasado no habían visto de ella. Tamaron un pájaro, con la mano, que era como un garjao; era pájaro de río y no de mar: los pies tenía como gaviota. Vinieron al navío, en amaneciendo, dos o tres pajaritos de tierra cantando, y después antes del sol salido desaparecieron. Después vino un alcatraz: venía del Ouesnorueste; iba al Sueste, que era señal que dejaba la tierra al Ouesnorueste, porque estas aves duermen en tierra y por la mañana van a la mar a buscar su vida, y no se alejan veinte leguas.

Viernes 21 de septiembre.—Aquel día fue todo lo más calma y después algún viento. Andarían entre día y noche, de ello a la vía y de ello no, hasta trece leguas. En amaneciendo, hallaron tanta hierba que parecía ser la mar cuajada de ella, y venía del Oueste. Vieron un alcatraz. La mar muy llana como un río y los aires los mejores del mundo. Vieron una ballena, que es señal que estaban cerca de tierra, porque siempre andan cerca.

Sábado 22 de septiembre.—Navegó al Ouesnorueste más o menos, acostándose a una y a otra parte. Andarían treinta leguas. No veían casi hierba. Vieron unas pardelas y otra ave. Dice aquí el Almirante: «Mucho me fue necesario este viento contrario, porque mi gente andaban muy estimulados, que pensaban que no ventaban estos mares vientos para volver a España». Por un pedazo de día no hubo hierba; después, muy espesa.

Domingo 23 de septiembre.—Navegó al Norueste y a las veces a la cuarta del Norte y a las veces a su camino, que era el Oueste; y andaría hasta veintidós leguas. Vieron una tórtola, y un alcatraz y otro pajarito de río y otras aves blancas. Las hierbas eran muchas, y hallaban cangrejos en ellas. Y como la mar estuviese mansa y llana, murmuraba la gente diciendo: que pues por allí no había mar grande, que nunca ventaría para volver a España; pero después alzóse mucho la mar y sin viento, que los asombraba, por lo cual dice aquí el Almirante: «Así que muy necesario me fue la mar alta, que no pareció, salvo el tiempo de los judíos cuando salieron de Egipto contra Moisés, que los sacaba de captiverio».

Lunes 24 de septiembre.—Navegó a su camino al Oueste día y noche, y andarían catorce leguas y media. Contó doce. Vino al navío un alcatraz y vieron muchas pardelas.

Martes 25 de septiembre.—Este día hubo mucha calma, y después ventó; y fueron su camino al Oueste hasta la noche. Iba hablando el Almirante con Martín Alonso Pinzón, capitán de la otra carabela *Pinta*, sobre una carta que le había enviado tres días hacía a la carabela, donde según parece tenía pintadas el Almirante ciertas islas por aquella mar. Y decía Martín Alonso que estaban en aquella comarca, y decía el Almirante que así le parecía a él; pero puesto que no hubiesen dado con ellas, lo debía haber causado las corrientes que siempre habían echado los navíos al Nordeste, y que no habían andado tanto como los pilotos decían. Y, estando en esto, dijo el Almirante que le enviase la carta dicha. Y, enviada con alguna cuerda, comenzó el Almirante a cartear en ella con su piloto y marineros. Al sol puesto, subió el Martín Alonso en la popa de su navío, y con mucha alegría llamó al Almirante, pidiéndole albricias que vía tierra. Y cuando se lo oyó decir con afirmación, el Almirante dice que se echó a dar gracias a Nuestro Señor de rodillas, y el Martín Alonso decía *Gloria in excelsis Deo* con su gente. Lo mismo hizo la gente del Almirante; y

los de la *Niña* subiéronse todos sobre el mástil y
en la jarcia, y todos afirmaron que era tierra. Y
al Almirante así pareció y que habría a ella veinticuatro leguas. Estuvieron hasta la noche afirmando todos ser tierra. Mandó el Almirante dejar su
camino, que era el Oueste, y que fuesen todos al
Sudueste, adonde había parecido la tierra. Habrían
andado aquel día al Oueste cuatro leguas y media,
y en la noche al Sudueste diez y siete leguas, que
son veintiuna, puesto que decía a la gente trece leguas porque siempre fingía a la gente que hacía
poco camino porque no les pareciese largo; por
manera que escribió por dos caminos aquel viaje,
el menor fue el fingido, y el mayor el verdadero.
Anduvo la mar muy llana, por lo cual se echaron a
nadar muchos marineros. Vieron muchos dorados
y otros peces.

Miércoles 26 de septiembre.—Navegó a su camino
al Oueste hasta después de medio día. De allí fueron
al Sudueste hasta conocer que lo que decían que había sido tierra no lo era, sino cielo. Anduvieron día
y noche treinta y una leguas, y contó a la gente
veinticuatro. La mar era como un río, los aires dulces y suavísimos.

Jueves 27 de septiembre.—Navegó a su vía al
Oueste. Anduvo entre día y noche veinticuatro leguas; contó a la gente veinte leguas. Vinieron muchos dorados; mataron uno. Vieron un rabo de
junco.

Viernes 28 de septiembre.—Navegó a su camino
al Oueste, anduvieron día y noche con calma catorce leguas; contaron trece. Hallaron poca hierba; tomaron dos peces dorados, y en los otros navíos más.

Sábado 29 de septiembre.—Navegó a su camino el
Oueste. Anduvieron veinticuatro leguas; contó a la
gente veintiuna. Por calmas que tuvieron, anduvieron entre día y noche poco. Vieron un ave que se
llama rabiforcado, que hace gomitar a los alcatraces

lo que comen para comerlo ella, y no se mantiene
de otra cosa. Es ave de la mar, pero no posa en la
mar ni se aparta de tierra veinte leguas. Hay de
éstas muchas en las islas de Cabo Verde. Después
vieron dos alcatraces. Los aires eran muy dulces y
sabrosos, que diz que no faltaba sino oír al ruiseñor,
y la mar llana como un río. Parecieron después en
tres veces tres alcatraces y un forcado. Vieron mucha hierba.

Domingo 30 de septiembre.—Navegó su camino al
Oueste. Anduvo entre día y noche, por las calmas,
catorce leguas; contó once. Vinieron al navío cuatro rabos de junco, que es gran señal de tierra,
porque tantas aves de una naturaleza juntas es
señal que no andan desmandadas ni perdidas. Viéronse cuatro alcatraces en dos veces. Hierba, mucha. *Nota:* Que las estrellas que se llaman las guar-
dias, cuando anochece, están junto al brazo de la
porte del Poniente, y cuando amanece están en la
línea debajo del brazo al Nordeste, que parece que
en toda la noche no andan salvo tres líneas, que son
nueve horas, y esto cada noche: esto dice aquí el
Almirante. También en anocheciendo, las agujas noruestean una cuarta, y en amaneciendo están con
la estrella justo; por lo cual parece que la estrella
hace movimiento como las otras estrellas, y las
agujas piden siempre la verdad.

Lunes 1 de octubre.—Navegó su camino al Oueste. Anduvieron veinticinco leguas; contó a la gente
veinte leguas. Tuvieron grande aguacero. El piloto
del Almirante temía hoy, en amaneciendo, que habían andado desde la isla de Hierro hasta aquí quinientas sesenta y ocho leguas al Oueste. La cuenta
menor que el Almirante mostraba a la gente eran
quinientas ochenta y cuatro leguas; pero la verdadera que el Almirante juzgaba y guardaba eran
setecientas siete.

Martes 2 de octubre.—Navegó su camino al Oueste noche y día treinta y nueve leguas; contó a la
gente obra de treinta leguas. La mar llana y buena

siempre. «A Dios muchas gracias sean dadas», dijo aquí el Almirante. Hierba venía del Este al Oueste, por el contrario de lo que solía: parecieron muchos peces; matóse uno. Vieron una ave blanca que parecía gaviota.

Miércoles 3 de octubre.—Navegó su vía ordinaria. Anduvieron cuarenta y siete leguas; contó a la gente cuarenta leguas. Aparecieron pardelas, hierba mucha, alguna muy vieja y otra muy fresca, y traía como fruta; y no vieron aves algunas. Creía el Almirante que le quedaban atrás las islas que traía pintadas en su carta. Dice aquí el Almirante que no se quiso detener barloventeando la semana pasada y estos días que había tantas señales de tierra, aunque tenía noticias de ciertas islas en aquella comarca, por no se detener, pues su fin era pasar a las Indias; y si detuviera, dice él que no fuera buen seso.

Jueves 4 de octubre.—Navegó a su camino al Oueste. Anduvieron entre día y noche sesenta y tres leguas; contó a la gente cuarenta y seis leguas. Vinieron al navío más de cuarenta pardeles juntos y dos alcatraces, y al uno dio una pedrada un mozo de la carabela. Vino a la nao un rabiforcado y una blanca como gaviota.

Viernes 5 de octubre.—Navegó a su camino. Andarían once millas por hora. Por la noche y día andarían cincuenta y siete leguas, porque aflojó la noche algo el viento; contó a su gente cuarenta y cinco. La mar en bonanza y llana. «A Dios, dice, muchas gracias sean dadas.» El aire muy dulce y templado, hierba nenguna, aves pardelas muchas, peces golondrinas volaron en la nao mucha.

Sábado 6 de octubre.—Navegó su camino al Vueste u Oueste, que es lo mismo. Anduvieron cuarenta leguas entre día y noche; contó a la gente treinta y tres leguas. Esta noche dijo Martín Alonso que sería bien navegar a la cuarta del Oueste, a la parte del Sudueste; y al Almirante pareció que no decía esto

Martín Alonso por la isla de Cipango, y el Almirante vía que si la erraban que no pudieran tan presto tomar tierra y que era mejor una vez ir a la tierra firme y después a las islas.

Domingo 7 de octubre.—Navegó a su camino al Oueste; anduvieron doce millas por hora dos horas, y después ocho millas por hora; y andaría hasta una hora de sol veintitrés leguas. Contó a la gente diez y ocho. En este día, al levantar del sol, la carabela *Niña,* que iba delante por ser velera, y andaban quien más podía por ver primero tierra, por gozar de la merced que los Reyes a quien primero la viese habían prometido, levantó una bandera en el topo del mástel y tiró una lombarda por señal que vían tierra, porque así lo había ordenado el Almirante. Tenía también ordenado que al salir del sol y al ponerse se juntasen todos los navíos con él, porque estos dos tiempos son más propios para que los humores den más lugar a ver más lejos. Como en la tarde no viesen tierra la que pensaban los de la carabela *Niña* que habían visto, y porque pasaban gran multitud de aves de la parte del Norte al Sudueste (por lo cual era de creer que se iban a dormir a tierra o huian quizá del invierno, que en las tierras de donde venían debía de querer venir, porque sabía el Almirante que las más de las islas que tienen los portugueses por las aves las descubrieron), por esto el Almirante acordó dejar el camino del Oueste y poner la proa hacia Ouesudueste con determinación de andar dos días por aquella vía. Esto comenzó antes una hora del sol puesto. Andarían en toda la noche obra de cinco leguas, y veintitrés del día. Fueron por todas veintiocho leguas noche y día.

Lunes 8 de octubre.—Navegó al Ouesudueste y andarían entre día y noche once leguas y media o doce, y a ratos parece que anduvieron en la noche quince millas por hora, si no está mentirosa la letra. Tuvieron la mar como el río de Sevilla; gracias a Dios, dice el Almirante. Los aires muy dulces como en abril en Sevilla, que es placer estar a ellos: tan olorosos son. Pareció la hierba muy fresca; muchos pajaritos del campo, y tomaron uno que iba huyendo al Sudueste, grajaos y ánades y un alcatraz.

Martes 9 de octubre.—Navegó al Sudueste. Anduvo cinco leguas; mudóse el viento y corrió al Oueste cuarta al Norueste, y anduvo cuatro leguas. Después con todas once leguas de día y a la noche veinte leguas y media. Contó a la gente diez y siete leguas. Toda la noche oyeron pasar pájaros.

Miércoles 10 de octubre.—Navegó al Ouesudueste. Anduvieron a diez millas por hora y a ratos doce y algún rato a siete, y entre día y noche cincuenta y nueve leguas. Contó a la gente cuarenta y cuatro leguas no más. Aquí la gente ya no lo podía sufrir: quejábase del largo viaje. Pero el Almirante los esforzó lo mejor que pudo, dándoles buena esperanza de los provechos que podrían haber. Y añadía que por demás era quejarse, pues que él había venido a las Indias, y que así lo había de proseguir hasta hallarlas con el ayuda de Nuestro Señor.

Jueves 11 de octubre.—Navegó al Ouesudueste. Tuvieron mucha mar y más que en todo el viaje habían tenido. Vieron pardelas y un junco verde junto a la nao. Vieron los de la carabela *Pinta* una caña y un palo, y tomaron otro palillo labrado a lo que parecía con hierro, y un pedazo de caña y otra hierba que nace en tierra, y una tablilla. Los de la carabela *Niña* también vieron otras señales de tierra y un palillo cargado de escaramojos. Con estas señales respiraron y alegráronse todos. Anduvieron en este día, hasta puesto el sol, veintisiete leguas.

Después del sol puesto, navegó a su primer camino al Oueste: andarían doce millas cada hora; y hasta dos horas después de media noche andarían noventa millas, que son veintidós leguas y media. Y porque la carabela *Pinta* era más velera e iba delante del Almirante, halló tierra y hizo las señas que el Almirante había mandado. Esta tierra vido primero un marinero que se decía Rodrigo de Triana; puesto que el Almirante, a las diez de la noche, estando en el castillo de popa, vido lumbre, aunque fue cosa tan cerrada que no quiso afirmar que fuese tierra; pero llamó a Pero Gutiérrez, repostero de estrados del Rey, e díjole que parecía lumbre, que mirase él, y así lo hizo y vídola; díjole también a Rodrigo Sánchez de Segovia, que el Rey y la Reina enviaban en el armada por veedor, el cual no vido nada porque no estaba en lugar do la pudiese ver. Después que el Almirante lo dijo, se vido una vez o dos, y era como una candelilla de cera que se alzaba y levantaba, lo cual a pocos pareciera ser indicio de tierra. Pero el Almirante tuvo por cierto estar junto a la tierra. Por lo cual, cuando dijeron la *Salve*, que la acostumbraban decir e cantar a su manera todos los marineros y se hallan todos, rogó y amonestólos el Almirante que hiciesen buena guarda al castillo de proa, y mirasen bien por la tierra, y que al que le dijese primero que vía tierra le daría luego un jubón de seda, sin las otras mercedes que los Reyes habían prometido, que eran diez mil maravedís de juro a quien primero la viese. A las dos horas después de media noche pareció la tierra, de la cual estarían dos leguas. Amañaron todas las velas, y quedaron con el treo, que es la vela grande sin bonetas, y pusiéronse a la corda, temporizando hasta el día viernes, que llegaron a una isleta de los Lucayos, que se llamaba en lengua de indios *Guanahani*. Luego vinieron gente desnuda, y el Almirante salió a tierra en la barca armada, y Martín Alonso Pinzón y Vicente Anés *, su hermano, que era capitán de la *Niña*. Sacó el Almirante la bandera real y los capitanes con dos banderas de la Cruz Verde, que llevaba el Almirante en todos los navíos por seña con una F y una Y: encima de cada letra su corona, una de un cabo de la † y otra de otro. Puestos en tierra vieron árboles muy verdes y aguas muchas y frutas de diversas maneras. El Almirante llamó a los dos capitanes y a los demás que saltaron en tierra, y a Rodrigo de Escovedo, Escribano de toda el armada, y a Rodrigo Sánchez de Segovia, y dijo que le diesen por fe y testi-

* Vicente Yáñez.

monio como él por ante todos tomaba, como de
hecho tomó, posesión de la dicha isla por el Rey e
por la Reina sus señores, haciendo las protestaciones que se requerían, como más largo se contiene
en los testimonios que allí se hicieron por escripto.
Luego se ayuntó allí mucha gente de la isla. Esto
que se sigue son palabras formales del Almirante,
en su libro de su primera navegación y descubrimiento de estas Indias. «Yo (dice él), porque nos
tuviesen mucha amistad, porque conocí que era
gente que mejor se libraría y convertiría a nuestra
Santa Fe con amor que no por fuerza, les di a algunos de ellos unos bonetes colorados y unas cuentas
de vidrio que se ponían al pescuezo, y otras cosas
muchas de poco valor, con que hobieron mucho placer y quedaron tanto nuestros que era maravilla.
Los cuales después venían a las barcas de los navíos adonde nos estábamos, nadando, y nos traían
papagayos y hilo de algodón en ovillos y azagayas
y otras cosas muchas, y nos las trocaban por otras
cosas que nos les dábamos, como cuentecillas de
vidrio y cascabeles. En fin, todo tomaban y daban
de aquello que tenían de buena voluntad. Mas me
pareció que era gente muy pobre de todo. Ellos andan todos desnudos como su madre los parió, y también las mujeres, aunque no vide más de una farto
moza. Y todos los que yo vi eran todos mancebos,
que ninguno vide de edad de más de treinta años:
muy bien hechos, de muy fermosos cuerpos y muy
buenas caras: los cabellos gruesos cuasi como sedas
de cola de caballos, e cortos: los cabellos traen por
encima de las cejas, salvo unos pocos de tras que
traen largos, que jamás cortan. Dellos se pintan de
prieto, y ellos son de la color de los canarios, ni
negros ni blancos, y dellos se pintan de blanco, y
dellos de colorado, y dellos de lo que fallan, y dellos
se pintan las caras, y dellos todo el cuerpo, y dellos
solos los ojos, y dellos sólo el nariz. Ellos no traen
armas ni las conocen, porque les amostré espadas y
las tomaban por el filo y se cortaban con ignoran-
cia. No tienen algún fierro: sus azagayas son unas
varas sin fierro, y algunas de ellas tienen al cabo
un diente de pece, y otras de otras cosas. Ellos todos

a una mano son de buena estatura de grandeza y buenos gestos, bien hechos. Yo vide algunos que tenían señales de feridas en sus cuerpos, y les hice señas qué era aquello, y ellos me amostraron cómo allí venían gente de otras islas que estaban acerca y les querían tomar y se defendían. Y yo creí e creo que aquí vienen de tierra firme a tomarlos por captivos. Ellos deben ser buenos servidores y de buen ingenio, que veo que muy presto dicen todo lo que les decía, y creo que ligeramente se harían cristianos; que me pareció que ninguna secta tenían. Yo, placiendo a Nuestro Señor, llevaré de aquí al tiempo de mi partida seis a V. A. para que deprendan fablar. Ninguna bestia de ninguna manera vide, salvo papagayos en esta isla.» Todas son palabras del Almirante.

Sábado 13 de octubre.—«Luego que amaneció vinieron a la playa muchos de estos hombres, todos mancebos, como dicho tengo, y todos de buena estatura, gente muy fermosa: los cabellos no crespos, salvo corredios y gruesos, como sedas de caballo, y todos de la frente y cabeza muy ancha más que otra generación que fasta aquí haya visto, y los ojos muy fermosos y no pequeños, y ellos ninguno prieto, salvo de la color de los canarios, ni se debe esperar otra cosa, pues está Lesteoueste con la isla del Hierro, en Canaria, so una línea. Las piernas muy derechas, todos a una mano, y no barriga, salvo muy bien hecha. Ellos vinieron a la nao con almadías, que son hechas del pie de un árbol, como un barco luengo, y todo de un pedazo, y labrado muy a maravilla según la tierra, y grandes en que en algunas venían cuarenta o cuarenta y cinco hombres, y otras más pequeñas, fasta haber de ellas en que venía un solo hombre. Remaban con una pala como de fornero, y anda a maravilla; y si se le trastorna, luego se echan todos a nadar y la enderezan y vacían con calabazas que traen ellos. Traían ovillos de algodón filado y papagayos y azagayas y otras cositas que sería tedio de escrebir, y todo daban por cualquier cosa que se los diese. Y yo estaba atento y trabajaba de saber si había oro, y vide que algunos de ellos traían un pedazuelo colgado en un agujero que tienen a la nariz, y por señas pude entender que yendo al Sur o volviendo la isla por el Sur, que estaba allí un rey que tenía grandes vasos de ello, y tenía muy mucho. Trabajé que fuesen allá, y después vide que no entendían en la idea. Determiné de aguardar fasta mañana en la tarde y después partir para el Sudueste, que según muchos de ellos me enseñaron decían que había tierra al Sur y al Sudueste y al Norueste, y que estas del Norueste le venían a combatir muchas veces, y así ir al Sudueste a buscar el oro y piedras preciosas. Esta isla es bien grande y muy llana y de árboles muy verdes y muchas aguas y una laguna en medio muy grande, sin ninguna montaña, y toda ella verde, que es placer de mirarla; y esta gente farto mansa, y por la gana de haber de nuestras cosas, y teniendo que no se les ha de dar sin que den algo y no lo tienen, toman lo que pueden y se echan luego a nadar; más todo lo que tienen lo dan por cualquier cosa que les den; que fasta los pedazos de las escudillas y de las tazas de vidrio rotas rescataban, fasta que vi dar diez y seis ovillos de algodón por tres ceotís de Portugal, que es una blanca de Castilla, y en ellos habría más de una arroba de algodón filado. Esto defendiera y no dejara tomar a nadie, salvo que yo lo mandara tomar todo para V. A. si hobiera en cantidad. Aquí nace en esta isla, mas por el poco tiempo no pude dar así del todo fe, y también aquí nace el oro que traen colgado a la nariz; mas, por no perder tiempo quiero ir a ver si puedo topar a la isla de Cipango. Agora como fue noche todos se fueron a tierra con sus almadías.»

Domingo 14 de octubre.—«En amaneciendo mandé aderezar el batel de la nao y las barcas de las caarbelas, y fue al luengo de la isla, en el camino del Nordeste, para ver la otra parte, que era de la otra parte del Leste que había, y también para ver las poblaciones, y vide luego dos o tres, y la gente que venían todos a la playa llamándonos y dando gracias a Dios. Los unos nos traían agua; otros otras cosas de comer; otros, cuando veían que yo no curaba de ir a tierra, se echaban a la mar nadando y venían, y entendíamos que nos preguntaban si éramos venidos del cielo. Y vino uno viejo en el batel dentro, y otros a voces grandes llamaban todos hombres y mujeres: *Venid a ver los hombres que vinieron del cielo; traedles de comer y de beber.* Vinieron muchos y muchas mujeres, cada uno con algo, dando gracias a Dios, echándose al suelo, y levantaban las manos al cielo, y después a voces nos llamaban que fuésemos a tierra. Mas yo temía de ver una grande restinga de piedras que cerca toda aquella isla alrededor, y entre medias queda hondo el puerto para cuantas naos hay en toda la Cristiandad, y la entrada de ello muy angosta. Es verdad que dentro de esta cinta hay algunas bajas, mas la mar no se mueve más que dentro en un pozo. Y para ver todo esto me moví esta mañana, porque supiese dar de todo relación a Vuestras Altezas y también a dónde pudiera hacer fortaleza, y vide un pedazo de tierra que se hace como isla, aunque no lo es, en que había seis casas, el cual se pudiera atajar en dos días por isla; aunque yo no veo ser necesario, porque esta gente es muy símplice en armas, como verán Vuestras Altezas de siete que yo hice tomar para le llevar y desprender nuestra fabla y volvellos, salvo que Vuestras Altezas cuando mandaren puédenlos todos llevar a Castilla o tenellos en la misma isla captivos, porque con cincuenta hombres los terná todos sojuzgados y los hará hacer todo lo que quisiere. Y después junto con la dicha isleta están huertas de árboles las más hermosas que yo vie tan verdes y con sus hojas como las de Castilla en el mes de abril y de mayo, y mucha agua. Yo miré todo aquel puerto y después me volví a la nao y di a la vela, y vide tantas islas que yo no sabía determinarme a cuál iría primero. Y aquellos hombres que yo tenía tomado me decían por señas que eran tantas y tantas que no había número, y anombraron por su nombre más de ciento. Por ende yo miré por la más grande, y aquélla determiné andar, y así hago, y será lejos de esta de San Salvador cinco leguas y las otras dellas más, dellas menos. Todas son muy llanas, sin montañas y

muy fértiles y todas pobladas, y se hacen la guerra
la una a la otra, aunque éstos son muy símplices y
muy lindos cuerpos de hombres.»

Lunes 15 de octubre.—«Había temporejado esta noche con temor de no llegar a tierra a sorgir antes de
la mañana, y por no saber si la costa era limpia de
bajas, y en amaneciendo cargar velas. Y como la
isla fuese más lejos de cinco leguas, antes será siete,
y la marea me detuvo, sería medio día cuando llegué
a la dicha isla. Y fallé que aquella haz que es de la
parte de la isla de San Salvador se corre Norte Sur
y hay en ella cinco leguas, y la otra que yo seguí
se corría. Leste Oueste y hay en ella más de diez
leguas. Y como de esta isla vide otra mayor al
Oueste, cargué las velas por andar todo aquel día
fasta la noche, porque aún no pudiera haber andado
al cabo del Oueste, a la cual puse nombre la *isla de
Santa María de la Concepción.* Y cuasi al poner del
sol sorgí acerca del dicho cabo por saber si había
allí oro, porque estos que yo había hecho tomar en
la isla de San Salvador me decían que ahí traían
manillas de oro muy grandes a las piernas y a los
brazos. Yo bien creí que todo lo que decían era
burla para se fugir. Con todo, mi voluntad era de
no pasar por ninguna isla de que no tomase posesión, puesto que tomado de una se puede decir de
todas. Y sorgí e estuve hasta hoy martes, que en
amaneciendo fui a tierra con las barcas armadas y
salí; y ellos, que eran muchos así desnudos y de la
misma condición de la otra isla de San Salvador, nos
dejaron ir por la isla y nos daban lo que les pedía.
Y porque el viento cargaba a la traviesa Sueste no
me quise detener y partí para la nao, y una almadía
grande estaba a bordo de la carabela *Niña;* y uno de
los hombres de la isla de San Salvador, que en ella
era, se echó a la mar y se fue en ella, y la noche
de antes a medio echado el otro, y fue atrás la almadía, la cual fugió que jamás fue barca que le pudiese
alcanzar, puesto que le teníamos grande avante. Con
todo, dio en tierra y dejaron la almadía; y algunos
de los de mi compañía salieron en tierra tras ellos,
y todos fugeron como gallinas, y la almadía que ha-

bían dejado la llevamos a bordo de la carabela *Niña*, adonde ya de otro cabo venía otra almadía pequeña con un hombre que venía a rescatar un ovillo de algodón, y se echaron algunos marineros a la mar, porque él no quería entrar en la carabela, y le tomaron. Y yo, que estaba a la popa de la nao, que vide todo, envié por él y le di un bonete colorado y unas cuentas de vidrio verdes pequeñas que le puse al brazo y dos cascabeles que le puse a las orejas, y le mandé volver a su almadía, que también tenía en la barca, y le envié a tierra. Y di luego la vela para ir a la otra isla grande que yo vía al Oueste y mandé largar también la otra almadía que traía la carabela *Niña*, por popa, y vide después en tierra, al tiempo de la llegada del otro a quien yo había dado las cosas susodichas y no le había querido tomar el ovillo de algodón, puesto quel me lo quería dar, y todos los otros se llegaron a él y tenía a gran maravilla e bien le pareció que éramos buena gente y que el otro que se había fugido nos había hecho algún daño y que por esto lo llevábamos. Y a esta razón usé esto con él de le mandar alargar y le di las dichas cosas porque nos tuviesen en esta estima, porque otra vez cuando Vuestras Altezas aquí tornen a enviar no haga mala compañía; y todo lo que yo le di no valía cuatro maravedís. Y así partí, que serían las diez horas, con el viento Sueste, y tocaba de Sur para pasar a estotra isla, la cual es grandísima y adonde todos estos hombres que yo traigo de la de San Salvador hacen señas que hay muy mucho oro y que lo traen en los brazos en manillas y a las piernas y a las orejas y al nariz y al pescuezo. Y había de esta isla de Santa María a esta otra nueve leguas Leste Oueste, y se corre toda esta parte de la isla Norueste Sueste, y se parece que bien habría en esta costa más de veintiocho leguas en esta faz, y es muy llana sin montaña ninguna, así como aquellas de San Salvador y de Santa María, y todas playas sin roquedos, salvo que a todas hay algunas peñas acerca de tierra debajo del agua; por donde es menester abrir el ojo cuando se quiere surgir e no surgir mucho acerca de tierra, aunque las aguas son siempre muy claras y se ve el fondo.

Y desviado de tierra dos tiros de lombarda, hay en todas estas islas tanto fondo que no se puede llegar a él. Son estas islas muy verdes y fértiles y de aires muy dulces, y puede haber muchas cosas que yo no sé, porque no me quiero detener por calar y andar muchas islas para fallar oro. Y pues éstas dan así estas señas que lo traen a los brazos y a las piernas, y es oro porque les amostré algunos pedazos del que yo tengo, no puedo errar con la ayuda de Nuestro Señor que yo no le falle adonde nace. Y estando a medio golfo de estas dos islas —es de saber de aquella de Santa María y de esta grande, a la cual pongo nombre la *Fernandina*— fallé un hombre solo en una almadía que se pasaba de la isla de Santa María a la Fernandina, y traía un poco de su pan, que sería tanto como el puño, y una calabaza de agua y un pedazo de tierra bermeja hecha en polvo y después amasada, y unas hojas secas que debe ser cosa muy apreciada entre ellos, porque ya me trujeron en San Salvador de ellas en presente, y traía un cestillo a su guisa en que tenía un ramalejo de cuentecillas de vidrio y dos blancas, por las cuales conocí que él venía de la isla de San Salvador y había pasado a aquella de Santa María y se pasaba a la Fernandina, el cual se llegó a la nao. Yo le hice entrar, que así lo demandaba él, y le hice poner su almadía en la nao y guardar todo lo que él traía; y le mandé dar de comer pan y miel y de beber. Y así le pasaré a la Fernandina y le daré todo lo suyo, porque dé buenas nuevas de nos para, a Nuestro Señor aplaciendo, cuando vuestras Altezas envíen acá, que aquellos que vinieren reciban honra y nos den de todo lo que hobiere.»

Martes 16 de octubre.—«Partí de las islas de Santa María de la Concepción, que sería ya cerca del medio día, para la isla Fernandina, la cual amuestra ser grandísima al Oueste, y navegué todo aquel día con calmería. No pude llegar a tiempo de poder ver el fondo para surgir en limpio, porque es en esto mucho de haber gran diligencia por no perder las anclas; y así temporicé toda esta noche hasta el día que vine a una población, adonde yo surgí e adonde había venido aquel hombre que yo hallé ayer en aquella almadía a medio golfo, el cual había dado tantas buenas nuevas de nos que toda esta noche no faltó almadías a bordo de la nao, que nos traían agua y de lo que tenían. Yo a cada uno le mandaba dar algo, es a saber algunas contecillas, diez o doce de ellas de vidrio en un filo, y algunas sonajas de latón de estas que valen en Castilla un maravedí cada una, y algunas agujetas, de que todo tenían en grandísima excelencia, y también los mandaba dar, para que comiesen, cuando venían en la nao miel de azúcar. Y después, a horas de tercia, envié al batel de la nao en tierra por agua, y ellos de muy buena gana le enseñaban a mi gente adonde estaba el agua, y ellos mismos traían los barriles llenos al batel y se folgaban mucho de nos hacer placer. Esta isla es grandísima y tengo determinado de la rodear, porque, según puedo entender, en ella o cerca de ella hay mina de oro. Esta isla está desviada de la de Santa María ocho leguas cuasi Leste Oueste; y este cabo adonde yo vine y toda esta costa se corre Norueste y Sursueste, y vide bien veinte leguas de ella, mas ahí no acababa. Agora escribiendo esto, di la vela con el viento Sur para pujar a rodear toda la isla, y trabajar hasta que halle Samaot, que es la isla o ciudad adonde es el oro, que así lo dicen todos estos que aquí vienen en la nao, y nos lo decían los de la isla de San Salvador y de Santa María. Esta gente es semejante a aquellas de las dichas islas, y una fabla y unas costumbres, salvo que éstos ya me parecen algún tanto más doméstica gente y de tracto y más sotiles, porque veo que han traído algodón aquí a la nao y otras casitas que saben mejor refetar el pagamento que no hacían los otros. Y aun en esta isla vide paños de algodón fechos como mantillos, y la gente más dispuesta, y las mujeres traen por delante su cuerpo una cosita de algodón que escasamente les cobija su natura. Ella es isla muy verde y llana y fertilísima, y no pongo duda de que todo el año siembran panizo y cogen, y así todas otras cosas. Y vide muchos árboles muy disformes de los nuestros, y dellos muchos que tenían los ramos de muchas maneras y todo en un pie, y un ramito es de una manera y otro de otra, y tan disforme que es la mayor maravilla del mundo cuánta es la diversidad de una manera a la otra; verbigracia, un ramo tenía las fojas a la manera de cañas y otro de manera de lentisco, y así en un solo árbol de cinco seis de estas maneras, y todos tan diversos; ni éstos son enjeridos, porque se puede decir que el injerto lo hace, antes son por los montes, ni cura de ellos esta gente. No le conozco secta ninguna, y creo que muy presto se tornarían cristianos, porque ellos son de muy buen entender. Aquí son los peces tan disformes de los nuestros que es maravilla. Hay algunos hechos como gallos de las más finas colores del mundo, azules, amarillos, colorados y de todas colores, y otros pintados de mil maneras; y las colores son tan finas que no hay hombre que no se maraville y no tome gran descanso a verlos. También hay ballenas. Bestias en tierra no vide ninguna de ninguna manera, salvo papagayos y lagartos. Un mozo me dijo que vido una grande culebra. Ovejas ni cabras ni otra ninguna bestia vide; aunque yo he estado aquí muy poco, que es medio día: mas si las hobiese no pudiera errar de ver alguna. El cerco de esta isla escribiré después que yo la hobiere rodeado.»

Miércoles 17 de octubre.—«A medio día partí de la población adonde yo estaba surgido y adonde tomé agua para ir a rodear esta isla Fernandina, y el viento era Sudueste y Sur, y como mi voluntad fuese de seguir esta costa de esta isla adonde yo estaba al Sueste, porque así se corre toda Nornorueste y Sursueste y quería llevar el dicho camino de Sur y Sueste, porque aquella parte todos estos indios que traigo y otro de quien hobe señas en esta parte del Sur a la isla a que ellos llaman *Samoet,* adonde es el oro, y Martín Alonso Pinzón, capitán de la carabela *Pinta,* en la cual yo mandé a tres de estos indios, vino a mí y me dijo que uno de ellos muy certificadamente le había dado a entender que por la parte del Nornorueste muy más presto arrodearía la isla, yo vide que el viento no me ayudaba por el camino que yo quería llevar, y era bueno por el otro. Di la vela al Nornorueste, y cuando fue acerca del cabo de la isla, a dos leguas, hallé un muy maravilloso puerto con una boca, aunque dos bocas se le puede decir, porque tiene un isleo en medio y son ambas muy angostas y dentro muy ancho para cien navíos si fuera fondo y limpio y fondo al entrada. Parecióme razón del ver bien y sondear, y así surgí fuera de él y fui en él con todas las barcas de los navíos y vimos que no había fondo. Y pórque pensé cuando yo le vi que era boca de algún río, había mandado llevar barriles para tomar agua, y en tierra hallé unos ocho o diez hombres que luego vinieron a nos y nos amostraron ahí cerca la población, adonde yo envié la gente por agua, una parte con armas, otros con barriles, y así la tomaron; y porque era lejuelos me detuve por espacio de dos horas. En este tiempo anduve así por aquellos árboles, que era la cosa más fermosa de ver que otra se haya visto, veyendo tanta verdura en tanto grado como en el mes de mayo en el Andalucía, y los árboles todos están tan disformes de los nuestros como el día de la noche; y así las frutas y así las hierbas y las piedras y todas las cosas. Verdad es que algunos árboles eran de la naturaleza de otros que hay en Castilla: por ende había muy gran diferencia, y los otros árboles de otras maneras eran tantos que no hay persona que lo pueda decir ni asemejar a otros en Castilla. La gente toda era una con los otros ya dichos, de las mismas condiciones, y así desnudos y de la misma estatura, y daban de lo que tenían por cualquier cosa que les diesen; y aquí vide que nos mozos de los navíos les trocaron azagayas por unos pedazuelos de escudillas rotas y de vidrio, y los otros que fueron por el agua me dijeron cómo habían estado en sus casas y que eran de adentro muy barridas y limpias, y sus camas y paramentos de cosas que son como redes de algodón; ellas, las casas, son todas a manera de alfaneques y muy altas y buenas chimeneas; mas no vide entre muchas poblaciones que yo vide que ninguna pasase de doce hasta quince casas. Aquí fallaron que las mujeres casadas traían bragas de algodón, las mozas no, sino salvo algunas que eran ya de edad de diez y ocho años. Y ahí había perros mastines y branchetes, y ahí fallaron uno que había al nariz un pedazo de oro que sería como la mitad de un castellano, en el cual vieron letras. Reñí yo con ellos porque no se lo resgataron y dieron cuanto pedía, por ver qué era y cúya esta moneda era; y ellos me respondieron que nunca se lo osó resgatar. Después de tomada la agua volví a la nao, y di la vela y salí al Norueste tanto que yo descubrí toda aquella parte de la isla hasta la costa que se corre Leste Oueste, y después todos estos indios tornaron a decir que esta isla era más pequeña que no la isla Samoet y que sería bien volver atrás por ser en ella más presto. El viento allí luego más calmo y comenzó a ventar Ouesnorueste, el cual era contrario para donde habíamos venido, y así tomé la vuelta y navegué toda esta noche pasada al Lestesueste, y cuándo al Leste todo y cuándo al Sueste; y esto para apartarme de la tierra, porque hacía muy gran cerrazón y el tiempo muy cargado. Él era poco y no me dejó llegar a tierra a surgir. Así que esta noche llovió muy fuerte después de media noche hasta cuasi el día, y aún está nublado para llover y nos al cabo de la isla de la parte del Sueste, adonde espero surgir fasta que aclarezca para ver las otras islas adonde tengo de ir. Y así todos estos días después que en estas Indias estoy ha llovido poco o mucho. Crean Vuestras Altezas que es esta tierra la mejor e más fértil y temperada y llana y buena que haya en el mundo.»

Jueves 18 de octubre.—«Despúes que aclareció seguí el viento, y fui en derredor de la isla cuanto pude, y surgí al tiempo que ya no era de navegar; mas no fui en tierra, y en amaneciendo di la vela.»

Viernes 19 de octubre.—«En amaneciendo levanté las anclas y envié la carabela *Pinta* al Leste y Sueste y la carabela *Niña* al Sursueste, y yo con la nao fui al Sueste, y dado orden que llevasen aquella vuelta fasta medio día, y después que ambas se mudasen las derrotas y se recogieran para mí. Y luego, antes que andásemos tres horas, vimos una isla al Leste sobre la cual descargamos. Y llegamos a ella todos tres navíos antes de medio día a la punta del Norte, adonde hace un isleo y una restinga de piedra fuera de él al Norte y otro entre él y la isla grande; la cual anombraron estos hombres de San Salvador que yo traigo la isla *Samoet,* a la cual puse nombre de la *Isabela.* El viento era Norte, y quedaba el dicho isleo en derrota de la isla Fernandina, de adonde yo había partido Leste Oueste; y se corría después la costa desde el isleo al Oueste y había en ella doce leguas fasta un cabo, a quien yo llamé el *Cabo Hermoso,* que es de la parte del Oueste. Y así es fermoso, redondo y muy fondo, sin bajas fuera de él, y al comienzo de piedra y bajo y más adentro es playa de arena como cuasi la dicha costa es. Y ahí surgí esta noche viernes hasta la mañana. Esta costa toda y la parte de la isla que yo vi es toda cuasi playa, y la isla más fermosa cosa que yo vi; que si las otras son muy hermosas, ésta es más. Es de muchos árboles y muy verdes y muy grandes, y esta tierra es más alta que las otras islas falladas, y en ella algún altillo, no que se le puede llamar montaña, mas cosa que afermosea lo otro, y parece de muchas aguas allá al medio de la isla. De esta parte al Nordeste hace una grande angla, y ha muchos arboledos y muy espesos y muy grandes. Yo quise ir a surgir en ella para salir a tierra y ver tanta fermosura; mas era el fondo bajo y no podía surgir salvo largo de tierra, y el viento era muy bueno para venir a este cabo adonde yo surgí agora, al cual puse nombre *Cabo Fermoso,* porque así lo es. Y así no surgí en aquella angla, y aun porque vide este cabo de allá tan verde y tan fermoso, así como todas las otras cosas y tierras de estas islas que yo no sé adónde me vaya primero ni me sé cansar los ojos de ver tan fermosas verduras y tan diversas de las nuestras. Y aun creo que ha en ella muchas herbias y muchos árboles que valen mucho en España para tinturas y medicinas de especería, mas yo no los cognozco, de que llevo grande pena. Y llegando yo aquí a este cabo vino el olor tan bueno y suave de flores o árboles de la tierra, que era la cosa más dulce del mundo. De mañana, antes que yo

de aquí vaya iré en tierra a ver qué es aquí en el
cabo. No es la población salvo allá más adentro, adonde dicen otros hombres que yo traigo que está el rey
que trae mucho oro; y yo de mañana quiero ir tanto avante que halle la población y vea o haya lengua con este rey que, según éstos dan las señas, él
señorea todas estas islas comarcanas y va vestido
y trae sobre sí mucho oro; aunque yo no doy mucha fe a sus decires, así por no los entender yo bien,
como en cognoscer que ellos son tan pobres de oro
que cualquiera poco que este rey traiga les parece a
ellos mucho. Este quien yo digo *Cabo Fermoso* creo
que es la isla apartada de *Samoeto,* y aún hay ya
otra entremedias pequeñas. Yo no curo así de ver
tanto por menudo, porque no lo podía facer en cincuenta años, porque quiero ver y descubrir lo más
que yo pudiere para volver a Vuestras Altezas, a
Nuestro Señor aplaciendo, en abril. Verdad es que,
fallando adonde haya oro o especería en cantidad,
me deterné fasta que yo haya de ello cuanto pudiere; y por esto no fago sino andar para ver de topar
en ello.»

Sábado 20 de octubre.—«Hoy al sol salido levanté
las anclas de donde yo estaba con la nao surgido
en esta isla de Samoeto al cabo del Sudueste, adonde yo puse nombre el *Cabo de la Laguna,* y a la isla
la *Isabela,* para navegar al Nordeste y al Leste de la
parte del Sueste y Sur, adonde entendí de estos hombres que yo traigo que era la población y el rey de
ella. Y fallé todo tan bajo el fondo que no pude entrar ni navegar a ello, y vide que siguiendo el camino del Sudueste era muy gran rodeo, y por esto
determiné de me volver por el camino que yo había
traído del Nornordeste de la parte del Oueste, y ro-
dar esta isla para *   el viento me fue tan escaso
que yo nunca pude haber la tierra al longo de lo
costa, salvo en la noche. Y, porque es peligro surgir
en estas islas, salvo en el día que se vea con el
ojo adónde se echa el ancla, porque es todo manchas,
una de limpio y otra de non, yo me puse a tempo-

---

*   Vacío en el original.

rejar a la vela toda esta noche del domingo. Las carabelas surgieron porque se hallaron en tierra temprano y pensaron que a sus señas, que eran costumbradas de hacer, iría a surgir; mas no quise.»

Domingo 21 de octubre.—«A las diez horas llegué aquí a este cabo del isleo y surgí, y asimismo las carabelas. Y después de haber comido fui en tierra, adonde aquí no había otra población que una casa, en la cual no fallé a nadie, que creo con temor se habían fugido, porque en ella estaban todos sus aderezos de casa. Yo no les dejé tocar nada, salvo que me salí con estos capitanes y gente a ver la isla; que si las otras ya vistas son muy fermosas y verdes y fértiles, ésta es mucho más y de grandes arboledos y muy verdes. Aquí es unas grandes lagunas, y sobre ellas y a la rueda es el arboledo en maravilla, y aquí en toda la isla son todos verdes y los hierbas como en el abril en el Andalucía; y el cantar de los pajaritos que parece que el hombre nunca se querría partir de aquí, y las manadas de los papagayos que ascurecen el sol; y aves y pajaritos de tantas maneras y tan diversas de las nuestras que es maravilla; y después ha árboles de mil maneras y todos de su manera fruto, y todos huelen que es maravilla, que yo estoy el más penado del mundo de no los cognoscer, porque soy bien cierto que todos son cosa de valía, y de ellos traigo la demuestra y asimismo de las hierbas. Andando así en cerco de una de estas lagunas vide una sierpe, la cual matamos y traigo el cuero a Vuestras Altezas. Ella como nos vidó se echó en la laguna y nos la seguimos dentro, porque no era muy fonda. hasta que con lanzas la matamos. Es de siete palmos en largo; creo que de estas semejantes hay aquí en esta laguna muchas. Aquí cognoscí del liñaloe, y mañana he determinado de hacer traer a la nao diez quintales, porque me dicen que vale mucho. También andando en busca de muy buena agua fuimos a una población aquí cerca, adonde estoy surto media legua; y la gente de ella, como nos sintieron, dieron todos a fugir y dejaron las casas y escondieron su ropa y lo que tenían por el monte. Yo no dejé tomar nada ni la valía de un alfiler. Después se llegaron a nos unos hombres de ellos y uno se llegó del todo aquí. Yo di unos cascabeles y unas cuentecillas de vidrio y quedó muy contento y muy alegre, y por que la amistad creciese más y los requiriese algo, le hice pedir agua, y ellos, después que fui en la nao, vinieron luego a la playa con sus calabazas llenas y folgaron mucho de dárnosla. Y yo les mandé dar otro remalejo de cuentecillas de vidrio y dijeron que de mañana vernían acá. Yo quería hinchir aquí toda la vasija de los navíos de agua; por ende, si el tiempo me da lugar, luego me partiré a rodear esta isla fasta que yo haya lengua con este rey y ver si puedo haber de él oro que oyo que trae, y después partir para otra isla grande mucho, que creo que debe ser Cipango, según las señas que me dan estos indios que yo traigo, a lo cual ellos llaman *Colba*, en la cual dicen que ha naos y mareantes mucho y muy grande, y de esta isla otra que llaman *Bosio*, que también dicen que es muy grande. Y a las otras que son entremedio veré así de pasada, y según yo fallare recaudo de oro o especería determinaré lo que he de facer. Mas todavía, tengo determinado de ir a la tierra firme y a la ciudad de Guisay y dar las cartas de Vuestras Altezas al Gran Can y pedir respuesta y venir con ella.»

Lunes 22 de octubre.—«Toda esta noche y hoy estuve aquí aguardando si el rey de aquí o otras personas traerían oro o otra cosa de sustancia, y vinieron muchos de esta gente, semejantes a los otros de las otras islas, así desnudos y así pintados dellos de blanco, dellos de colorado, dellos de prieto y así de muchas maneras. Traían azagayas y algunos ovillos de algodón a resgatar, el cual trocaban aquí con algunos marineros por pedazos de vidrio, de tazas quebradas y por pedazos de escudillas de barro. Algunos de ellos traían algunos pedazos de oro colgados al nariz, el cual de buena gana daban por un cascabel de estos de pie de gavilano y por cuentecillas de vidrio: mas es tan poco, que no es nada: que es verdad que cualquiera poca cosa que se les dé, ellos también tenían a gran maravilla nuestra

venida, y creían que éramos venidos del cielo. To-
mamos agua para los navíos en una laguna que
aquí está acerca del cabo del Isleo, que así la nom-
bré; y en la dicha laguna Martín Alonso Pinzón, capitán de la *Pinta*, mató otra sierpe tal como la otra de
ayer de siete palmos, y fice tomar aquí del linaloe
cuanto se falló.»

Martes 23 de octubre.—«Quisiera hoy partir para
la isla de Cuba, que creo que debe ser Cipango, según las señas que dan esta gente de la grandeza de
ella y riqueza, y no me deterné más aquí ni *
esta isla alrededor para ir a la población, como tenía
determinado, para haber lengua con este rey o señor, que es por no me detener mucho, pues veo que
aquí no hay mina de oro; y al rodear de estas islas
ha menester muchas maneras de viento, y no vienta
así como los hombres querrían. Y pues es de andar
adonde haya trato grande, digo que no es razón de
se detener, salvo ir a camino y calar mucha tierra
fasta topar en tierra muy provechosa, aunque mi
entender es que ésta sea muy provechosa de especería. Mas que yo no la cognozco que llevo la mayor
pena del mundo, que veo mil maneras de árboles
que tienen cada uno su manera de fruta y verde
agora como en España en el mes de mayo y junio
y mil maneras de hierbas, eso mesmo con flores,
y de todo no se cognosció salvo este linaloe de que
hoy mandé también traer a la nao mucho para
llevar a Vuestras Altezas. Y no he dado ni doy la
vela para Cuba porque no hay viento, salvo calma
muerta, y llueve mucho. Y llovió ayer mucho sin
hacer ningún frío; antes el día hace calor y las
noches temperadas como en mayo en España en el
Andalucía.»

Miércoles 24 de octubre.—«Esta noche a media
noche levanté las anclas de la isla Isabela del cabo
del Isleo, que es de la parte del Norte, adonde yo
estaba posado para ir a la isla de Cuba, adonde oí
de esta gente que era muy grande y de gran trato

* Vacío en el texto original.

y había en ella oro y especerías y naos grandes y mercaderes, y me amostró que al Ouesudueste iría a ella; y yo así lo tengo, porque creo que sí es así, como por señas que me hicieron todos los indios de estas islas y aquellos que llevo yo en los navíos, porque por lengua no los entiendo, es la isla de Cipango, de que se cuentan cosas maravillosas, y en las esferas que yo vi y en las pinturas de mapamundos es ella en esta comarca. Y así navegué fasta el día al Ouesudueste, y amaneciendo calmó el viento y llovió, y así casi toda la noche. Y estuve así con poco viento fasta que pasaba de medio día y entonces tornó a ventar muy amoroso, y llevaba todas mis velas de la nao: maestra y dos bonetas y trinquete y cebadera y mesana y vela de gabia, y el batel por popa. Así anduve el camino fasta que anocheció; y entonces me quedaba el Cabo Verde de la isla Fernandina, el cual es de la parte del Sur a la parte de Oueste. Me quedaba al Norueste, y hacía de mí a él siete leguas. Y porque ventaba ya recio y no sabía yo cuánto camino hobiese fasta la dicha isla de Cuba, y por no la ir a demandar de noche, porque todas estas islas son muy fondas a no hallar fondo todo en derredor salvo a tiro de dos lombardas, y esto es todo manchado un pedazo de roquedo y otro de arena, y por esto no se puede seguramente surgir salvo a vista de ojo, y por tanto acordé de amainar las velas todas, salvo el trinquete, y andar con él; y de a un rato crecía mucho el viento y hacía mucho camino de que dudaba, y era muy gran cerrazón y llovía. Mandé amainar el trinquete y no anduvimos esta noche dos leguas, etc.»

Jueves 25 de octubre.—Navegó después del sol salido al Oueste Sudueste hasta las nueve horas. Andarían cinco leguas. Después mudó el camino al Oueste. Andaban ocho millas por hora hasta la una después de mediodía, y de allí hasta las tres y andarían cuarenta y cuatro millas. Entonces vieron tierra, y eran siete a ocho islas, en luengo todas de Norte a Sur; distaban de ellas cinco leguas, etc.

Viernes 26 de octubre.—Estuvo de las dichas islas de la parte del Sur. Era todo bajo cinco o seis leuas; surgió por allí. Dijeron los indios que llevaba que había de ellas a Cuba andadura de día y medio con sus almadías, que son navetas de un madero adonde no llevan vela. Estas son las canoas. Partió de allí para Cuba, porque por las señas que los indios le daban de la grandeza y del oro y perlas de ella, pensaba que era ella, conviene a saber, Cipango.

Sábado 27 de octubre.—Levantó las anclas salido el sol, de aquellas islas, que llamó las islas de Arena por el poco fondo que tenían de la parte del Sur hasta seis leguas. Anduvo ocho millas por hora hasta la una del día al Sursudueste, y habrían andado cuarenta millas, y hasta la noche andarían veintiocho millas al mesmo camino; y antes de noche vieron tierra. Estuvieron la noche al reparo con mucha lluvia que llovió. Anduvieron el sábado fasta el poner del sol diez y siete leguas al Sursudueste.

Domingo 28 de octubre.—Fue de allí en demanda de la isla de Cuba al Sursudueste, a la tierra de ella más cercana, y entró en un río muy hermoso y muy sin peligro de bajas ni otros inconvenientes; y toda la costa que anduvo por allí era muy hondo y muy limpio fasta tierra: tenía la boca del río doce brazas, y es bien ancha para barloventar. Surgió dentro, diz que a tiro de lombarda. Dice el Almirante que nunca tan hermosa cosa vido, lleno de árboles, todo cercado el río, fermosos y verdes y diversos de los nuestros, con flores y con su fruto, cada uno de su manera. Aves muchas y pajaritos que cantaban muy dulcemente; había gran cantidad de palmas de otra manera que las de Guinea y de las nuestras, de una estatura mediana y los pies sin aquella camisa y las hojas muy grandes, con las cuales cobijan las casas; la tierra muy llana. Saltó el Almirante en la barca y fue a tierra, y llegó a dos casas que creyó ser de pescadores y que con temor se huyeron, en una de las cuales halló un perro que nunca ladró; y en ambas casas halló redes de hilo de palma y

cordeles y anzuelo de cuerno y fisgas de hueso y
otros aparejos de pescar y muchos huegos dentro,
y creyó que en cada una casa se juntan muchas
personas. Mandó que no se tocase en cosa de todo
ello, y así se hizo. La hierba era grande como en el
Andalucía por abril y mayo. Halló verdolagas muchas y bledos. Tornóse a la barca y anduvo por el
río arriba un buen rato, y diz que era gran placer
ver aquellas verduras y arboledas, y de las aves
que no podía dejallas para se volver. Dice que es
aquella isla la más hermosa que ojos hayan visto,
llena de muy buenos puertos y ríos hondos, y la
mar que parecía que nunca se debía de alzar porque la hierba de la playa lleaba hasta cuasi el agua,
la cual no suele llegar donde la mar es brava. Hasta
entonces no había experimentado en todas aquellas
islas que la mar fuese brava. La isla dice que es
llena de montañas muy hermosas, aunque no son
muy grandes en longura, salvo altas, y toda la otra
tierra es alta de la manera de Sicilia; llena es de
muchas aguas, según podía entender de los indios
que consigo lleva, que tomó en la isla de Guanahani,
los cuales le dicen por señas que hay diez ríos grandes y que con sus canoas no la pueden cercar en
veinte días. Cuando iba a tierra con los navíos salieron dos almadías o canoas, y como vieron que los
marineros entraban en la barca y remaban para ir
a ver el fondo del río para saber dónde habían de
surgir, huyeron las canoas. Decían los indios que en
aquella isla había minas de oro y perlas, y vido el
Almirante lugar apto para ellas y almejas, que es
señal de ellas, y entendía el Almirante que allí
venían naos del Gran Can, y grandes, y que de allí
a tierra firme había jornada de diez días. Llamó
el Almirante aquel río y puerto de *San Salvador*.

Lunes 29 de octubre.—Alzó las anclas de aquel
puerto y navegó al Poniente para ir diz que a la ciudad donde le parecía que le decían los indios que
estaba aquel rey. Una punta de la isla le salía a Norueste seis leguas de allí; otra punta le salía al
Leste diez leguas. Andada otra legua vido un río
no de tan grande entrada, al cual puso nombre el

río de la Luna; anduvo hasta hora de vísperas. Vido otro río muy más grande que los otros, y así se lo dijeron por señas los indios, y cerca de él vido buenas poblaciones de casas: llamó al río el *río de Mares*. Envió dos barcas a una población por haber lengua, y a una de ellas un indio de los que traía, porque ya los entendían algo y mostraban estar contentos con los cristianos, de las cuales todos los hombres y mujeres y criaturas huyeron, desamparando las casas con todo lo que tenían; y mandó el Almirante que no se tocase en cosa. Las casas diz que eran ya más hermosas que las que habían visto, y creía que cuanto más se allegase a la tierra firme serían mejores. Eran hechas a manera de alfaneques, muy grandes, y parecían tiendas en real, sin concierto de calles, sino una acá y otra acullá y dentro muy barridas y limpias y sus aderezos muy compuestos. Todas son de ramas de palma muy hermosas. Hallaron muchas estatuas en figura de mujeres y muchas cabezas en manera de caratona muy bien labradas. No sé si esto tienen por hermosura o adoran en ellas. Había perros que jamás ladraron; había avecitas salvajes mansas por sus casas; había maravillosos aderezos de redes y anzuelos y artificios de pescar. No le tocaron en cosa de ello. Creyó que todos los de la costa debían de ser pescadores que llevan el pescado la tierra dentro, porque aquella isla es muy grande y tan hermosa que no se hartaba de decir bien de ella. Dice que halló árboles y frutas de muy maravilloso sabor; y dice que debe haber vacas en ella y otros ganados, porque vido cabezas en hueso que le parecieron de vaca. Aves y pajaritos y el cantar de los grillos en toda la noche con que se holgaban todos: los aires sabrosos y dulces de toda la noche, ni frío ni caliente. Mas por el camino de las otras islas en aquéllas diz que hacía gran calor y allí no, salvo templado como en mayo; atribuye el calor de las otras islas por ser muy llanas y por el viento que traían hasta allí ser Levante y por eso cálido. El agua de aquellos ríos era salada a la boca: no supieron de donde bebían los indios, aunque tenían en sus casas agua dulce. En este río podían los navíos voltejar para entrar y para salir, y tiene muy buenas señas o marcas: tiene siete u ocho brazas de fondo a la boca y dentro cinco. Toda aquella mar dice que le parece que debe ser siempre mansa como el río de Sevilla y el agua aparejada para criar perlas. Halló caracoles grandes, sin saber, no como los de España. Señala la disposición del río y del puerto que arriba dijo y nombró *San Salvador,* que tiene sus montañas hermosas y altas como la Peña de los Enamorados, y una de ellas tiene encima otro montecillo a manera de una hermosa mezquita. Este otro río y puerto en que agora estaba tiene de la parte del Sueste dos montañas así redondas y de la parte del Oueste Norueste un hermoso cabo llano que sale fuera.

Martes 30 de octubre.—Salió del río de Mares al Norueste, y vido cabo lleno de palmas y púsole *Cabo de Palmas,* después de haber andado quince leguas. Los indios que iban en la carabela *Pinta* dijeron que detrás de aquel cabo había un río y del río a Cuba había cuatro jornadas; y dijo el capitán de la *Pinta* que entendía que esta Cuba era ciudad y que aquella tierra era tierra firme muy grande que va mucho al Norte, y que el rey de aquella tierra tenía guerra con el Gran Can, al cual ellos llamaban *Cami,* y a su tierra o ciudad *Fava,* y otros muchos nombres. Determinó el Almirante de llegar a aquel río y enviar un presente al rey de la tierra y enviarle la carta de los reyes, y para ella tenía un marinero que había andado en Guinea en lo mismo, y ciertos indios de Guanahani que querían ir con él, con que después los tornasen a su tierra. Al parecer del Almirante, distaba de la línea equinocial cuarenta y dos grados hacia la banda del Norte, si no está corrupta la letra de donde trasladé esto, y dice que había de trabajar de ir al Gran Can, que pensaba que estaba allí, o a la ciudad de Catay, que es del Gran Can, que diz que es muy grande, según le fue dicho antes que partiese de España. Toda aquesta tierra dice ser baja y hermosa y fonda la mar.

Miércoles 31 de octubre.—Toda la noche martes anduvo barloventeando, y vido un río donde no pudo entrar por ser baja la entrada; y pensaron los indios que pudieran entrar los navíos como entraban sus canoas. Y navegando adelante, halló un cabo que salía muy fuera y cercado de bajos, y vido una concha o bahía donde podían estar navíos pequeños, y no lo pudo encabalgar porque el viento se había tirado del todo al Norte y toda la costa se corría al Nornorueste y Sueste, y otro cabo que vido adelante le salía más afuera. Por esto y porque el cielo mostraba de ventar recio se hobo de tornar al río de Mares.

Jueves 1 de noviembre.—En saliendo el sol envió el Almirante las barcas a tierra a las casas que allí estaban, y hallaron que era toda la gente huida, y desde a buen rato pareció un hombre y mandó el Almirante que lo dejasen asegurar, y volviéronse las barcas. Y después de comer tornó a enviar a tierra uno de los indios que llevaba, el cual desde lejos le dio voces diciendo que no hobiesen miedo porque era buena gente y no hacían mal a nadie, ni eran del Gran Can, antes daban de lo suyo en muchas islas que habían estado; y echóse a nadar el indio y fue a tierra, y dos de los de allí lo tomaron de brazos y lleváronlo a una casa donde se informaron de él. Y como fueron ciertos que no se les había de hacer mal, se aseguraron y vinieron luego a los navíos más de diez y seis almadías o canoas con algodón hilado y otras cosillas suyas, de las cuales mandó el Almirante que no se tomase nada, porque supiesen que no buscaba el Almirante salvo oro a que ellos llaman *nucay*. Y así en todo el día anduvieron y vinieron de tierra a los navíos, y fueron de los cristianos a tierra muy seguramente. El Almirante no vido algunos de ellos oro, pero dice el Almirante que vido a uno de ellos un pedazo de plata labrado colgado a la nariz, que tuvo por señal que en la tierra había plata. Dijeron por señas que antes de tres días vernían muchos mercaderes de la tierra dentro a comprar de las cosas que allí llevan los cristianos y darían nuevas del rey de aquella tierra, el cual, según se pudo entender por las señas que daban, que estaba de allí cuatro jornadas, porque ellos habían enviado muchos por toda la tierra a le hacer saber del Almirante. Esta gente dice el Almirante, es.de la misma calidad y costumbre de los otros hallados, sin ninguna secta que yo conozca, que fasta hoy aquestos que traigo no he visto hacer ninguno oración, antes dicen la *Salve* y el *Ave María*, con las manos al cielo como le amuestran, y hacen la señal de la cruz. Toda la lengua también es una y todos amigos, y creo que sean todas estas islas, y que tengan guerra con el Gran Can, a que ellos llaman *Cavila* y a la provincia *Bafan*. Y así andan también desnudos como los otros. Esto dice el Almirante. El río dice que es muy hondo, y en la boca pueden llegar los navíos con el bordo hasta tierra; no llega el agua dulce a la boca con una legua, y es muy dulce. Y es cierto, dice el Almirante, que ésta es la tierra firme y que estoy, dice él, ante Zayto y Guinsay cien leguas poco más o poco menos lejos de lo uno y de lo otro, y bien se amuestra por la mar que viene de otra suerte que fasta aquí no ha venido, y ayer que iba al Norueste fallé que hacía frío.

Viernes 2 de noviembre.—Acordó el Almirante enviar dos hombres españoles: el uno se llamaba Rodrigo de Jerez, que vivía en Ayamonte, y el otro era un Luis de Torres, que había vivido con el Adelantado de Murcia y había sido judío, y sabía diz que hebraico y caldeo y aun algo arábigo; y con éstos envió dos indios, uno de los que consigo traía de Guanahani y el otro de aquellas casas que en el río estaban poblados. Dioles sartas de cuentas para comprar de comer si los faltase y seis días de término para que volviesen. Dioles muestras de especería para ver si alguna de ellas topasen. Dioles instrucción de cómo habían de preguntar por el rey de aquella tierra y lo que le habían de hablar de parte de los Reyes de Castilla, cómo enviaban al Almirante para que les diese de su parte sus cartas y un presente y para saber de su estado y cobrar amistad con él y favorecelle en lo que hobiese de ellos menester, etc., y que supiesen de ciertas provincias y puertos y ríos de que el Almirante tenía noticia y cuánto distaban de allí, etc. Aquí tomó el Almirante el altura con un cuadrante esta noche, y halló que estaba 42 grados de la línea equinocial, y dice que por su cuenta halló que había andado desde la isla de Hierro mil y ciento y cuarenta y dos leguas, y todavía afirma que aquella es tierra firme.

Sábado 3 de noviembre.—En la mañana entró en la barca el Almirante, y porque hace el río en la boca un gran lago, el cual hace un singularísimo puerto muy hondo y limpio de piedras, muy buena playa para poner navíos a monte y mucha leña, entró por el río arriba hasta llegar al agua dulce, que sería cerca de dos leguas, y subió en un montecillo por descubrir algo de la tierra, y no pudo ver nada por las grandes arboledas, las cuales eran muy frescas, odoríferas por lo cual dicen no tener duda que no haya hierbas aromáticas. Dice que todo era tan hermoso lo que vía, que no podía cansar los ojos de ver tanta lindeza y los cantos de las aves y pajaritos. Vinieron en aquel día muchas almadías o canoas a los navíos a resgatar cosas de algodón filado y redes en que dormían, que son hamacas.

Domingo 4 de noviembre.—Luego en amaneciendo entró el Almirante en la barca, y salió a tierra a cazar de las aves que el día antes había visto. Después de vuelto, vino a él Martín Alonso Pinzón con dos pedazos de canela, y dijo que un portugués que tenía en su navío había visto a un indio que traía dos manojos de ella muy grandes, pero que no se la osó resgatar por la pena que el Almirante tenía puesta que nadie resgatase. Decía más: que aquel indio traía unas cosas bermejas como nueces. El contramaestre de la *Pinta* dijo que había hallado árboles de canela. Fue el Almirante luego allá y halló que no eran. Mostró el Almirante a unos indios de allí canela y pimienta —parece que de la que evaba de Vastilla para muestra— y conociéronla diz que y dijeron por señas que cerca de allí había mucho de aquello al camino del Sueste. Mostróles oro y perlas, y respondieron ciertos viejos que en un lugar que llamaron *Bohío* había infinito y que lo traían al cuello y a las orejas y a los brazos y a las piernas y también perlas. Entendió más: que decían que había naos grandes y mercaderías, y todo esto era al Sueste. Entendió también que lejos de allí había hombres de un ojo y otros con hocicos de perros que comían los hombres y que en tomando uno lo degollaban y le bebían su sangre y le cortaban su natura. Determinó de volver a la nao el Almirante a esperar los dos hombres que había enviado para determinar de partirse a buscar aquellas tierras, si no trujesen aquellos alguna buena nueva de lo que deseaban. Dice más el Almirante: esta gente es muy mansa y muy temerosa, desnuda como dicho tengo, sin armas y sin ley. Estas tierras son muy fértiles: ellos las tienen llenas de mames que son como zanahorias, que tienen sabor de castañas, y tienen faxones y fabas muy diversas de las nuestras, y mucho algodón, el cual no siembran, y nacen por los montes árboles grandes, y creo que en todo tiempo lo haya para coger, porque vi los cogujos abiertos y otros que se abrían y flores todo en un árbol, y otras mil maneras de frutas que me no es posible escribir; y todo debe ser cosa provechosa. Todo esto dice el Almirante.

Lunes 5 de noviembre.—En amaneciendo mandó poner la nao a monte y los otros navíos, pero no todos juntos, sino que quedasen siempre dos en el lugar donde estaban, por la seguridad, aunque dice que aquella gente era muy segura y sin temor se pudieran poner todos los navíos junto en monte. Estando así vino el contramaestre de la *Niña* a pedir albricias al Almirante porque había hallado almáciga, mas no traía la muestra porque se le había caído. Prometióselas el Almirante y envió a Rodrigo Sánchez y a Maestre Diego a los árboles y trujeron un poco de ella, la cual guardó para llevar a los Reyes y también del árbol; y dice que se cognosció que era almáciga, aunque se ha de coger a sus tiempos, y que había en aquella comarca para sacar mil quintales cada año. Halló diz que allí mucho de aquel palo que le pareció liñaloe. Dice más, que aquel puerto de Mares es de los mejores del mundo y mejores aires y más mansa gente, y porque tiene un cabo de peña altillo se puede hacer una fortaleza, para que si aquello saliese rico y cosa grande estarían allí los mercaderes seguros de cualquiera otras naciones. Y dice: Nuestro Señor, en cuyas manos están todas las victorias, aderezca todo lo que fuere su servicio. Diz que dijo un indio por señas que el almáciga era buena para cuando les dolía el estómago.

Martes 6 de noviembre.—Ayer en la noche, dice el Almirante, vinieron los dos hombres que había enviado a ver a la tierra dentro, y le dijeron cómo habían andado doce leguas que había hasta una población de cincuenta casas, donde diz que había mil vecinos porque viven muchos en una casa. Estas casas son de manera de alfaneques grandísimos. Dijeron que los habían recebido con gran solemnidad, según su costumbre, y todos, así hombres como mujeres, los venían a ver, y aposetánrolos en las mejores casas; los cuales los tocaban y les besaban las manos y los pies, maravillándose y creyendo que venían del cielo, y así se lo daban a entender. Dábanles de comer de lo que tenían. Dijeron que en llegando los llevaron de brazos los más honrados del pueblo a la casa principal, y diéronles dos sillas en que se asentaron, y ellos todos se asentaron en el suelo en derredor de ellos. El indio que con ellos iba les notificó la manera de vivir de los cristianos y cómo eran buena gente. Después saliéronse los hombres y entraron las mujeres y sentáronse de la misma manera en derredor de ellos, besándoles las manos y los pies, atentándolos si eran de carne y de hueso como ellos. Rogábanles que se estuviesen allí con ellos al menos por cinco días. Mostraron la canela y pimienta y otras especias que el Almirante les había dado, y dijéronles por señas que mucha de ella había cerca de allí al Sueste; pero que en allí no sabían si la había. Visto cómo no tenían recaudo de ciudades, se volvieron, y que si quisieran dar lugar a los que con ellos se querían venir, que más de quinientos hombres y mujeres vinieran con ellos, porque pensaban que se volvían al cielo. Vino empero, con ellos un principal del pueblo y un su hijo y un hombre suyo. Habló con ellos el Almirante, hízoles mucha honra, señaló muchas tierras e islas que había en aquellas partes, pensó de traerlos a los Reyes, y diz que no supo qué se le antojó; parece que de miedo y de noche escuro quísose ir a tierra. Y el Almirante diz que porque tenía la nao en seco en tierra, no le queriendo enojar, le dejó ir, diciendo que en amaneciendo tornaría; el cual nunca tornó. Hallaron los dos cristianos por el camino mucha gente que atravesaba a sus pueblos, mujeres y hombres, con un tizón en la mano, hierbas para tomar sus sahumerios que acostumbraban. No hallaron población por el camino de más de cinco casas, y todos les hacían el mismo acatamiento. Vieron muchas maneras de árboles e hierbas y flores odoríferas. Vieron aves de muchas maneras diversas de las de España, salvo perdices y ruiseñores que cantaban y ánsares, y de esto hay allí harto; bestias de cuatro pies no vieron, salvo perros que no ladraban. La tierra muy fértil y muy labrada de aquellos mames y fexoes y habas muy diversas de las nuestras; eso mismo panizo y mucha cantidad de algodón cogido y filado y obrado, y que en una sola casa habían visto más de quinientas arrobas y que se pudiera haber allí cada año cuatro mil quintales. Dice el Almirante que le parecía que no lo sembraban y que da fruto todo el año: es muy fino, tiene el cepillo muy grande. Todo lo que aquella gente tenía diz que daba por muy vil precio, y que una gran espuerta de algodón daba por cabo de agujeta o otra cosa que le dé. Son gente, dice el Almirante, muy sin mal ni de guerra: desnudos todos, hombres y mujeres, como sus madres los parió. Verdad es que las mujeres traen una cosa de algodón solamente tan grande que le cobija su natura y no más, y son ellas de muy buen acatamiento, ni muy negras, salvo menos que canarias. «Tengo por dicho, serenísimos Príncipes —dice el Almirante— que sabiendo la lengua dispuesta suya personas devotas religiosas, que luego todos se tornarían cristianos; y así espero en Nuestro Señor que Vuestras Altezas se determinarán a ello con mucha diligencia para tornar a la Iglesia tan grandes pueblos, y los convertirán, así como han destruido aquellos que no quisieron confesar el Padre y el Hijo y el Espíritu Santo; y después de sus días, que todos somos mortales, dejarán sus reinos en muy tranquilo estado y limpios de herejía y maldad, y serán bien recebidos delante el Eterno Criador, al cual plega de les dar larga vida y acrecentamiento grande de mayores reinos y señoríos y voluntad y disposición para acrecentar la santa religión cristiana, así como hasta aquí tienen fecho, amén. Hoy tiré la nao de monte y me despacho para partir el jueves en nombre de Dios e ir al Sueste a buscar del oro y especerías y descobrir tierra.» Estas todas son palabras del Almirante, el cual pensó partir el jueves; pero porque le hizo el viento contrario no pudo partir hasta doce días de noviembmre.

Lunes 12 de noviembre.—Partió del puerto y río de Mares al rendir del cuarto de alba para ir a una isla que mucho afirmaban los indios que traía, que se llamaba *Babeque,* adonde, según dicen por señas, que la gente de ella coge el oro con candelas de noche en la playa, y después con martillo diz que hacían vergas de ello, y para ir a ella era menester poner la proa al Leste cuarta del Sueste. Después de haber andado ocho leguas por la costa delante, halló un río que parecía muy caudaloso y mayor que ninguno de los otros que había hallado. No se quiso detener ni entrar en algunos de ellos por dos respectos: el uno y principal porque el tiempo y viento era bueno para ir en demanda de la dicha isla de Babeque; el otro, porque si en él hobiera alguna populosa o famosa ciudad cerca de la mar se pareciera, y para ir por el río arriba era menester navíos pequeños, lo que no eran los que llevaba; y así se perdiera también mucho tiempo, y los semejantes ríos son cosa para descobrirse por sí. Toda aquella costa era poblada mayormente cerca del río, a quien puso por nombre *el río del Sol.* Dijo que el domingo antes 11 de noviembre le había parecido que fuera bien tomar algunas personas de las de aquel río para llevar a los Reyes porque aprendieran nuestra lengua, para saber lo que hay en la tierra y porque volviendo sean lenguas de los cristianos y tomen nuestras costumbres y las cosas de la Fe, «porque yo vi e cognozco —dice el Almirante— que esta gente no tiene secta ninguna ni son idólatras, salvo muy mansos y sin saber qué sea mal ni matar a otros ni prender, y sin armas y tan temerosos que a una persona de los nuestros fuyen ciento de ellos, aunque burlen con ellos, y crédulos y cognocedores que hay Dios en el cielo, e firmes que nosotros habemos venido del cielo, y muy presto a cualquiera oración que nos les digamos que digan y hacen el señal de la cruz. Así que deben Vuestras Altezas determinarse a los hacer cristianos, que creo que si comienzan, en poco tiempo acabará de los haber convertido a nuestra Santa Fe multidumbre de pueblos, y cobrando grandes señoríos y riquezas y todos sus pueblos de la España, porque sin duda es en estas tierras grandísimas sumas de oro, que no sin causa dicen estos indios que yo traigo, que ha en estas islas lugares adonde cavan el oro y lo traen al pescuezo, a las orejas y a los brazos e a las piernas, y son manillas muy gruesas, y también ha piedras y ha perlas preciosas y infinitas especerías; y en este río de Mares, de donde partí esta noche, sin duda ha grandísima cantidad de almáciga y mayor si mayor se quisiere hacer, porque los mismos árboles plantándolos prenden de ligero y ha muchos y muy grandes y tienen la hoja como lentisco y el fruto, salvo que es mayor, así los árboles como la hoja, como dice Plinio, e yo he visto en la isla de Xió, en el Archipiélago, y mandé sangrar muchos de estos árboles para ver si echarían resina para la traer, y como haya siempre llovido el tiempo que yo he estado en el dicho río, no he podido haber de ella, salvo muy poquita que traigo a Vuestras Altezas, y también puede ser que no es el tiempo para los sangrar, que esto creo que conviene al tiempo que los árboles comienzan a salir del invierno y quieren echar la flor; y acá ya tienen el fruto cuasi maduro agora. Y también aquí

se habría grande suma de algodón y creo que se
vendería muy bien acá sin le llevar a España, salvo
a las grandes ciudades del Gran Can que se descubrirán sin duda y otras muchas de otros señores
que habrán en dicha servir a Vuestras Altezas, y
adonde se les darán de otras cosas de España y
de las tierras de Oriente, pues éstas son a nos
en Poniente. Y aquí ha también infinito liñaloe, aunque no es cosa para hacer gran caudal, mas del almáciga es de entender bien, porque no la ha, salvo
en dicha isla de Xió, y creo que sacan de ello bien
cincuenta mil ducados, si mal no me acuerdo. Y ha
aquí, en la boca de dicho río, el mejor puerto que
fasta hoy vi, limpio e ancho e fondo y buen lugar y
asiento para hacer una villa e fuerte, e que cuales-
quier navíos se puedan llegar el bordo a los muros,
e tierra muy temperada y alta y muy buenas aguas.
Así que ayer vino a bordo de la nao una almadía
con seis mancebos, y los cinco entraron en la nao;
estos mandé detener e los traigo. Y después envié
a una casa que es de la parte del río del Poniente,
y trujeron siete cabezas de mujeres entre chicas e
grandes y tres niños. Esto hice porque mejor se
comportan los hombres en España habiendo mujeres de su tierra que sin ellas, porque ya otras muchas veces se acaeció traer los hombres de Guinea
para que deprendiesen la lengua en Portugal, y
después que volvían y pensaban de se aprovechar
de ellos en su tierra por la buena compañía que le
habían hecho y dádivas que se les habían dado, en
llegando en tierra jamás parecían. Otros no lo hacían así. Así que, teniendo sus mujeres, ternán
gana de negociar lo que se les encargare, y también
estas mujeres mucho enseñarán a los nuestros su
lengua, la cual es toda una en todas estas islas de
India, y todos se entienden y todas las andan con
sus almadas, lo que no han en Guinea, adonde es
mil maneras de lenguas que la una no entiende la
otra. Esta noche vino a bordo en una almadía el
marido de una de estas mujeres y padre de tres
fijos, un macho y dos fembras, y dijo que yo le
dejase venir con ellos, y a mí me aplogó mucho, y
quedan agora todos consolados con el que deben

todos ser parientes, y él es ya hombre de cuarenta y cinco años». Todas estas palabras son formales del Almirante. Dice también arriba que hacía algún frío, y por esto que no le fuera buen consejo en invierno navegar al Norte para descubrir. Navegó este lunes, hasta el sol puesto, diez y ocho leguas al Leste cuarta del Sueste hasta un cabo, a que puso por nombre el *Cabo de Cuba.*

Martes 13 de noviembre.—Esta noche toda estuvo a la corda, como dicen los marineros, que es andar barloventeando y no andar nada, por ver un abra, que es una abertura de sierras como entre sierra y sierra, que le comenzó a ver al poner del sol, adonde se mostraban dos grandísimas montañas, y parecía que se apartaba la tierra de Cuba con aquella de Bohío, y esto decían los indios que consigo llevaban, por señas. Venido el día claro, dio las velas sobre la tierra y pasó una punta que le pareció a noche obra de dos leguas, y entró en un grande golfo, cinco leguas al Sursudueste, y le quedaban otras cinco para llegar al cabo adonde, en medio de dos grandes montes, hacía un degollado, el cual no pudo determinar si era entrada de mar. Y porque deseaba ir a la isla que llamaban *Babeque,* adonde tenía nueva, según él entendía, que había mucho oro, la cual isla le salía al Leste, como no vido alguna grande población para ponerse al rigor del viento que le crecía más que nunca hasta allí, acordó de hacerse a la mar y andar al Leste con el viento que era Norte; y andaba ocho millas cada hora, y desde las diez del día que tomó aquella derrota hasta el poner del sol anduvo cincuenta y seis millas, que son catorce leguas al Leste, desde el Cabo de Cuba. Y de la otra tierra del Bohío que le quedaba a sotavento comenzando del cabo del sobredicho golfo, descubrió a su parecer ochenta millas, que son veinte leguas, y corríase toda aquella costa Lesueste y Ouesnoroeste.

Miércoles 14 de noviembre.—Toda la noche de ayer anduvo al reparo y barloventeando (porque decía que no era razón de navegar entre aquellas islas de noche hasta que las hobiese descubierto), porque los indios que traían la dijeron ayer martes que habría tres jornadas desde el río de Mares hasta la isla de Babeque, que se debe entender jornadas de sus almadías, que pueden andar siete leguas, y el viento también le escaseaba, y habiendo de ir al Leste, no podía sino a la cuarta del Sueste, y por otros inconvenientes que allí refiere se hobo de detener hasta la mañana. Al salir del sol determinó de ir a buscar puerto, porque de Norte se había mudado el viento al Nordeste, y si puerto no hallara fuérale necesario volver atrás a los puertos que dejaba en la isla de Cuba. Llegó a tierra habiendo andado aquella noche veinticuatro millas al Leste cuarta del Sueste, anduvo al Sur *   millas hasta tierra, adonde vio muchas entradas y muchas isletas y puertos, y porque el viento era mucho y la mar muy alterada no osó acometer a entrar; antes corrió por la costa al Norueste cuarta del Oueste, mirando si había puerto, y vido que había muchos, pero no muy claros. Después de haber andado así sesenta y cuatro millas halló una entrada muy honda, ancha un cuarto de milla, y buen puerto y río, donde entró y puso la proa al Sursudueste y después al Sur hasta llegar al Sueste, todo de buena anchura y muy fondo, donde vido tantas islas que no las pudo contar todas, de buena grandeza y muy altas tierras llenas de diversos árboles de mil maneras e infinitas palmas. Maravillóse en gran manera ver tantas islas y tan altas, y certifica a los Reyes que las montañas que desde antier ha visto por estas costas y las de estas islas que le parece que no las hay más altas en el mundo ni tan hermosas y claras, sin niebla ni nieve, y al pie de ellas grandísimo fondo; y dice que cree que estas islas son aquellas innumerables que en los mapamundos en fin de Oriente se ponen. Y dijo que creía que había grandísimas riquezas y piedras preciosas y especería en ellas, y que duran muy mucho al Sur y se ensanchan a toda parte. Púsoles nombre *la mar de Nuestra Señora*, y al puerto que está cerca de la boca de la entrada de las

---

* Vacío en el texto original.

dichas islas puso *puerto del Príncipe,* en el cual no entró, mas de velle desde fuera hasta otra vuelta que dio el sábado de la semana venidera, como allí parecerá. Dice tantas y tales cosas de la fertilidad y hermosura y altura de estas islas que halló en este puerto, que dice a los Reyes que no se maravillen de encarecellas tanto, porque les certifica que cree que no dice la centésima parte: algunas de ellas que parecía que llegan al cielo y hechas como puntas de diamantes; otras que sobre su gran altura tienen encima como una mesa y al pie de ellas fondo grandísimo que podrá llegar a ellas una grandísima carraca, todas llenas de arboledas y sin peñas.

Jueves 15 de noviembre.—Acordó de andallas estas islas con las barcas de los navíos, y dice maravillas de ellas y que halló almáciga e infinito linaloe, y algunas de ellas eran labradas de las raíces de que hacen su pan los indios, y halló haber encendido fuego en algunos lugares. Agua dulce no vido; gente había alguna y huyeron. En todo lo que anduvo halló hondo de quince y diez y seis brazas, y todo basa, que quiere decir que el suelo de abajo es arena y no peñas, lo que mucho desean los marineros, porque las peñas cortan los cables de las anclas de las naos.

Viernes 16 de noviembre.—Porque en todas las partes, islas y tierras donde entraba dejaba siempre puesta una cruz entró en la barca y fue a la boca de aquellos puertos y en una punta de la tierra halló dos maderos muy grandes, uno más largo que el otro y el uno sobre el otro hechos una cruz, que diz que un carpintero no los pudiera poner más proporcionados; y, adorada aquella cruz, mandó hacer de los mismos maderos una muy grande y alta cruz. Halló cañas por aquella playa que no sabía dónde nacían, y creía que las traería algún río y las echaba a la playa, y tenía en esto razón. Fue a una cala dentro de la entrada del puerto de la parte del Sudeste (cala es una entrada angosta que entra el agua del mar en la tierra): allí hacía un alto de

piedra y peña como cabo y al pie de él era muy
fondo, que la mayor carraca del mundo pudiera poner el bordo en tierra, y había un lugar o rincón
donde podían estar seis navíos sin anclas como en
una sala. Parecióle que se podía hacer allí una fortaleza a poca costa si en algún tiempo en aquella
mar de islas resultase algún resgate famoso. Volviéndose a la nao halló los indios que consigo traía
que pescaban caracoles muy grandes que en aquellas
mares hay, y hizo entrar la gente allí e buscar si
había nácaras, que son las ostras donde se crían
las perlas, y hallaron muchas, pero no perlas, y atri-
buyólo a que no debía de ser el tiempo de ellas;
que creía él que era por mayo y junio. Hallaron los
marineros un animal que parecía taso o taxo. Pescaron también con redes y hallaron un pece, entre
otros muchos, que parecía un propio puerco, no
como tonina, el cual diz que era todo concha muy
tiesta y no tenía cosa blanda sino la cola y los ojos,
y un agujero debajo de ella para expeler sus super-
fluidades. Mandólo salar para llevarlo que viesen
los Reyes.

Sábado 17 de noviembre.—Entró en la barca por
la mañana y fue a ver las islas que no había visto
por la banda del Sudueste. Vido muchas otras y muy
fértiles y muy graciosas, y entre medio de ellas muy
gran fondo: algunas de ellas dividían arroyos de
agua dulce, y creía que aquella agua y arroyos salían de algunas fuentes que manaban en los altos de
las sierras de las islas. De aquí yendo adelante,
halló una ribera de agua muy hermosa y dulce, y
salía muy fría por lo enjuto de ella: había un prado
muy lindo y palmas muchas y altísimas más que las
que había visto. Halló nueces grandes de las de
India, creo que dice, y ratones grandes de los de
India también y cangrejos grandísimos. Aves vido
muchas y olor vehemente de almizque, y creyó que
lo debía de haber allí. Este día, de seis mancebos
que tomó en el río de Mares, que mandó que fuesen en la carabela *Niña,* se huyeron los dos más
viejos.

Domingo 18 de noviembre.—Salió en las barcas otra vez con mucha gente de los navíos y fue a poner la gran cruz que había mandado hacer de los dichos dos maderos a la boca de la entrada de dicho puerto del Príncipe, en un lugar vistoso y descubierto de árboles: ella muy alta y muy hermosa vista. Dice que la mar crece y descrece allí mucho más que en otro puerto de lo que por aquella tierra haya visto, y que no es más maravilla por las muchas islas, y que la marea es al revés de las nuestras, porque allí la luna al Sudueste cuarta del Sur es baja mar en aquel puerto. No partió de aquí por ser domingo.

Lunes 19 de noviembre.—Partió antes que el sol saliese y con calma; y después al medio día ventó algo el Leste y navegó al Nornordeste. Al poner del sol le quedaba el puerto del Prríncipe al Sursudueste, y estaría de él siete leguas. Vido la isla de Babeque al Le.ste justo, de la cual estaría sesenta millas. Navegó toda esta noche al Nordeste escaso, andaría sesenta millas y hasta las diez del día martes otras doce, que son por todas diez y ocho leguas, y al Nordeste cuarta del Norte.

Martes 20 de noviembre.—Quedábanle el Babeque o las islas del Babeque al Lesueste, de donde salía el viento que llevaba contrario. Y viendo que no se mudaba y la mar se alteraba, determinó de dar la vuelta al puerto del Príncipe, de donde había salido, que le quedaba veinticinco leguas. No quiso ir a la isleta que llamó *Isabela,* que le estaba dos leguas, que pudiera ir a surgir aquel día, por dos razones. La una por que vido dos islas al Sur: las quería ver; la otra porque los indios que traía, que había tomado en Guanahani, que llamó *San Salvador,* que estaba ocho leguas de aquella Isabela, no se le fuesen, de los cuales diz que tiene necesidad y por traellos a Castilla, etc. Tenían diz que entendido que en hallando oro los había el Almirante de dejar tornar a su tierra. Llegó en paraje del puerto del Príncipe; pero no lo pudo tomar, porque era de noche y porque lo decayeron las corrientes al Nor̄ueste. Tornó a dar la vuelta y puso la proa al Nordeste con viento recio; amansó y mudóse el viento al tercero cuarto de la noche, puso la proa en el Leste cuarta del Nordeste: el viento era Susueste y mudóse al alba de todo en Sur, y tocaba en el Sueste. Salido el sol marcó el puerto del Príncipe, y quedábale al Sudueste y cuasi a la cuarta del Oueste, y estaría de él a cuarenta y ocho millas que son doce leguas.

Miércoles 21 de noviembre.—Al sol salido navegó al Leste con viento Sur; anduvo poco por la mar contraria. Hasta horas de vísperas hobo andado veinticuatro millas. Después se mudó el viento al Leste y anduvo al Sur cuarta del Sueste, y al poner del sol había andado doce millas. Aquí se halló el Almirante en cuarenta y dos grados de la línea equinoccial a la parte del Norte, como en el puerto de Mares; pero aquí dice que tiene suspenso el cuadrante hasta llegar a tierra que lo adobe. Por manera que le parecía que no debía distar tanto, y tenía razón, porque no era posible como no estén estas islas sino en * grados. Para creer que el cuadrante andaba bueno le movía ver, diz que el Norte tan alto como en Castilla, y si esto es verdad mucho allegado y alto andaba con la Florida; pero ¿dónde están luego agora estas islas que entre manos traía? Ayudaba a esto que hacía diz que gran calor; pero claro es que si estuviera en la costa de Florida que no hobiera calor sino frío. Y es también manifiesto que en cuarenta y dos grados en ninguna parte de la tierra se cree hacer calor si no fuese por alguna causa de *per accidens,* lo que hasta hoy no creo yo que se sabe. Por este calor que allí el Almirante dice que padecía, arguye que en estas Indias y por allí donde andaba debía de haber mucho oro. Este día se apartó Martín y Alonso Pinzón con la carabela *Pinta,* sin obediencia y voluntad del Almirante, por cudicia, diz que pensando que un indio que el Almirante había mandado poner en aquella carabela le había de dar mucho oro, y así se fue sin

* Vacío en el texto original.

esperar, sin causa de mal tiempo, sino porque quiso.
Y dice aquí el Almirante: «otras muchas me tiene
hecho y dicho».

Jueves 22 de noviembre.—Miércoles en la noche
navegó al Sur cuarta del Sueste con el viento Leste,
y era cuasi calma. Al tercero cuarto ventó Nornordeste. Todavía iba al Sur por ver aquella tierra que
por allí le quedaba, y cuando salió el sol se halló
tan lejos como el día pasado por las corrientes contrarias, y quedábale la tierra cuarenta millas. Esta
noche Martín Alonso siguió el camino del Leste para
ir a la isla de Babeque, donde dicen los indios que
hay mucho oro, el cual iba a vista del Almirante, y
habría hasta él diez y seis millas. Anduvo el Almirante toda la noche la vuelta de tierra y hizo tomar
algunas de las velas y tener farol toda la noche, porque le pareció que venía hacia él, y la noche hizo
muy clara y el ventecillo bueno para venir a él.

Viernes 23 de noviembre.—Navegó el Almirante
todo el día hacia la tierra, al Sur siempre, con poco
viento, y la corriente nunca le dejó llegar a ella, antes estaba hoy tan lejos de ella al poner del sol como
en la mañana. El viento era Lesnordeste y razonable para ir al Sur, sino que era poco; y sobre este
cabo encavalga otra tierra o cabo que va también al
Leste, a quien aquellos indios que llevaba llamaban
Bohío, la cual decían que era muy grande y que
había en ella gente que tenía un ojo en la frente, y
otros que se llamaban caníbales, a quien mostraban
tener gran miedo. Y desque vieron que lleva este
camino, diz que no podían hablar porque los comían
y que son gente muy armada. El Almirante dice
que bien cree que había algo de ello, mas que, pues
eran armados, sería gente de razón, y creía que habían captivado algunos y que porque no volvían di-
rían que los comían. Lo mismo creían de los cristianos y del Almirante al principio que algunos los
vieron.

Sábado 24 de noviembre.—Navegó aquella noche
toda, y a la hora de tercia del día tomó la tierra so-

bre la isla llana, en aquel mismo lugar donde había
arribado la semana pasada cuando iba a la isla de
Babeque, al principio no osó llegar a la tierra, porque le parecía que aquella abra de sierras rompía la
mar mucho en ella. Y en fin llegó a la mar de Nuestra Señora, donde había las muchas islas, y entró en
el puerto que está junto a la boca de la entrada de
las islas, y dice que si él antes supiera este puerto y
no se ocupara en ver las islas de la mar de Nuestra
Señora, no le fuera necesario volver atrás, aunque
dice que lo da por bien empleado por haber visto las
dichas islas. Así que llegando a tierra envió la barca
y tentó el puerto y halló muy buena barra, honda de
seis brazas y hasta veinte y limpio, todo basa. Entró
en él poniendo la proa al Sudueste y después volviendo al Oueste, quedando la isla llana de la parte
del Norte, la cual con otra su vecina hace una laguna de mar en que cabrían todas las naos de España
y podían estar seguras sin amarras de todos los
vientos. Y esta entrada en la parte del Sueste, que
se entra poniendo la proa al Susudueste tiene la salida al Oueste muy honda y muy ancha; así que se
puede pasar entremedio de las dichas islas y por
cognocimiento de ellas a quien viniese de la mar de
la parte del Norte, que es su travesía de esta costa.
Están las dichas islas al pie de una grande montaña
que es su longura de Leste Oueste, y es harto luenga y más alta y luenga que ninguna de todas las
otras que están en esta costa, adonde hay infinitas,
y hace fuera una restinga al luengo de la dicha montaña como un banco que llega hasta la entrada. Todo
esto de la parte del Sueste, y también de la parte de
la isla llana hace otra restinga, aunque ésta es pequeña, y así entremedias de ambas hay grande anchura y fondo grande, como dicho es. Luego a la
entrada a la parte del Sueste, dentro en el mismo
puerto, vieron un río grande y muy hermoso y de
más agua que hasta entonces habían visto, y que
venía el agua dulce hasta la mar. A la entrada tiene
un banco, mas después adentro es muy hondo de
ocho y nueve brazas. Está todo lleno de palmas y
de muchas arboledas como los otros.

Domingo 25 de noviembre.—Antes del sol salido entró en la barca y fue a ver un cabo o punta de tierra al Sueste de la isleta llana, obra de una legua y media, porque le parecía que había de haber algún río bueno. Luego, a la entrada del cabo de la parte del Sueste, andando dos tiros de la ballesta, vio venir un grande arroyo de muy linda agua que descendía de una montaña abajo y hacía gran ruido. Fue al río y vio en él unas piedras relucir, con unas manchas en ellas de color de oro, y acordóse que en el río Tejo que al pie de él junto a la mar se halló oro, y parecióle que cierto debía tener oro, y mandó coger ciertas de aquellas piedras para llevar a los Reyes. Estando así dan voces los mozos grumetes, diciendo que vían pinales. Miró por la sierra y vídolos tan grandes y tan maravillosos que no podía encarecer su altura y derechura como husos gordos y delgados, donde conoció que se podían hacer navíos e infinita tablazón y másteles para las mayores naos de España. Vido robles y madroños, y un buen río y aparejo para hacer sierras de agua. La tierra y los aires más templados que hasta allí, por la altura y hermosura de las sierras. Vido por la playa muchas otras piedras de color de hierro, y otras que decían algunos que eran de minas de plata, todas las cuales trae el río. Allí cogió una entena y mástel para la mesana de la carabela *Niña*. Llegó a la boca del río y entró en una cala, al pie de aquel cabo de la parte del Sueste muy honda y grande, en que cabrían cien naos sin alguna amarra ni anclas; y el puerto que los ojos otro tal nunca vieron. Las sierras altísimas, de las cuales descendían muchas aguas lindísimas; y todas las sierras llenas de pinos y por todo aquello diversísimas y hermosísimas florestas de árboles. Otros dos o tres ríos le quedaban atrás. Encarece todo esto en gran manera a los Reyes y muestra haber recibido de verlo, y mayormente los pinos, inestimable alegría y gozo, porque se podían hacer allí cuantos navíos desearen, trayendo los aderezos, si no fuere madera y pez que allí se hará harta; y afirma no encarecello la centésima parte de lo que es, y que plugo a Nuestro Señor de le mostrar siempre una cosa mejor que otra, y siempre en lo que hasta allí había descubierto iba de bien en mejor, así en las tierras y arboledas y hierbas y frutos y flores como en las gentes, y siempre de diversa manera, y así en un lugar como en otro. Lo mismo en los puertos y en las aguas. Y finalmente dice que cuando el que lo ve le es tanta la admiración cuánto más será a quien lo oyere, y que nadie lo podrá creer si no lo viere.

Lunes 26 de noviembre.—Al salir el sol levantó las anclas del puerto de Santa Catalina, adonde estaba dentro de la isla llana, y navegó de luengo de la costa con poco tiempo Sudueste al camino del Cabo del Pico, que era al Sueste. Llegó al Cabo tarde, porque le calmó el viento, y, llegando, vido al Sueste cuarta del Leste otro cabo que estaría de él sesenta millas, y de allí vido otro cabo que estaría hacia el navío al Sueste cuarta del Sur, y parecióle que estaría de él veinte millas, al cual puso nombre el *Cabo de Campana,* al cual no pudo llegar de día porque le tornó a calmar de todo el viento. Andaría en todo aquel día treinta y dos millas, que son ocho leguas. Dentro de las cuales notó y marcó nueve puertos muy señalados, los cuales todos los marineros hacían maravillas, y cinco ríos grandes, porque iba siempre junto con tierra para verlo bien todo. Toda aquella tierra es montañas altísimas muy hermosas, y no secas ni de peñas sino todas andables y valles hermosísimos. Y así los valles como las montañas eran llenos de árboles altos y frescos, que era gloria mirarlos, y parecía que eran muchos pinales. Y también detrás del dicho Cabo del Pico, de la parte del Sueste, están dos isletas que terná cada una en cerco dos leguas y dentro de ellas tres maravillosos puertos y dos grandes ríos. En toda esta costa no vido poblado ninguno desde la mar; podría ser haberlo, y hay señales de ello, porque donde quiera que saltaban en tierra hallaban señales de haber gente y huegos muchos. Estimaba que la tierra que hoy vido de la parte del Sueste del Cabo de Campana era la isla que llamaban los indios Bohío: parécelo porque el dicho cabo está apartado de aquella tierra. Toda la gente que hasta hoy ha ha-

llado diz que tiene grandísimo temor de los Caniba
o Canima, y dicen que viven en esta isla de Bohío,
la cual debe ser muy grande, según le parece, y cree
que van a tomar a aquéllos a sus tierras y casas,
como sean muy cobardes y no saber de armas. Y a
esta causa le parecía que aquellos indios que traían
no suelen poblarse a la costa de la mar, por ser
vecinos a esta tierra, los cuales diz que después
que le vieron tomar la vuelta de esta tierra no podían hablar temiendo que los habían de comer, y
no les podía quitar el temor, y decían que no tenían sino un ojo y la cara de perro, y creía el Almirante que mentían, y sentía el Almirante que debían
de ser del señorío del Gran Can, que los captivaban.

Martes 27 de noviembre.—Ayer al poner del sol
llegó cerca de un cabo, que llamó *Campana*, y porque el cielo claro y el viento poco no quiso ir a tierra a surgir, aunque tenía de sotavento cinco o seis
puertos maravillosos, porque se detenía más de lo
que quería por el apetito y deleitación que tenía y
recebía de ver y mirar la hermosura y frescura de
aquellas tierras donde quiera que entraba, y por no
se tardar en proseguir lo que pretendía. Por estas
razones se tuvo aquella noche a la corda y tempo-
rejar hasta el día. Y porque las aguajes y corrientes
lo habían echado aquella noche más de cinco o seis
leguas al Sueste adelante de donde había anoche-
cido y le había parecido la tierra de Campana; y
allende aquel cabo parecía una grande entrada que
mostraba dividir una tierra de otra y hacía como
isla en medio, acordó volver atrás con viento Sudueste, y vino adonde le había parecido el abertura,
y halló que no era sino una grande bahía y al cabo
de ella, de la parte del Sueste, un cabo, en el cual
hay una montaña alta y cuadrada que parecía isla.
Saltó el viento en el Norte y tornó a tomar la vuelta del Sueste, por correr la costa y descubrir todo lo
que allí hobiese. Y vido luego al pie de aquel Cabo
de Campana un puerto maravilloso y un gran río,
y de allí a un cuarto de legua otro río, y de allí a
media legua otro río, y dende a media legua otro
río, y dende a otra otro río, y dende a otro cuarto

otro río, y dende a otra legua otro río grande, desde
el cual hasta el Cabo de Campana habría veinte millas, y le quedan al Sueste. Y los más de estos ríos
tenían grandes entradas y anchas y limpias, con
sus puertos maravillosos para naos grandísimas, sin
bancos de arena ni de peña ni restingas. Viniendo
así por la costa a la parte del Sueste del dicho postrero río halló una grande población, la mayor que
hasta hoy haya hallado, y vido venir infinita gente
a la ribera de la mar dando grandes voces, todos
desnudos, con sus azagayas en la mano. Deseó hablar con ellos y amainó las velas, y surgió y envió
las barcas de la nao y de la carabela por manera
ordenados que no hiciesen daño alguno a los indios
ni lo recibiesen, mandando que les diesen algunas
cosillas de aquellos resgates. Los indios hicieron
ademanes de no los dejar saltar en tierra y resis-
tillos. Y viendo que las barcas se allegaban más a
tierra y que no les habían miedo, se apartaron de
la mar. Y creyendo que saliendo dos o tres hombres
de las barcas no temieran, salieron dos cristianos
diciendo que no hobiesen miedo en su lengua, porque sabían algo de ella por la conversación de los
que traen consigo. En fin, dieron todos a huir, que
ni grande ni chico quedó. Fueron los tres cristianos
a las casas, que son de paja y de la hechura de las
otras que habían visto, y no hallaron a nadie ni
cosa en alguna de ellas. Volviéronse a los navíos y
alzaron velas a medio día para ir a un cabo hermoso que quedaba al Leste, que habría hasta él ocho
leguas. Habiendo andado media legua por la misma bahía, vido el Almirante a la parte del Sur un
singularísimo puerto, y de la parte del Sueste unas
tierras hermosas a maravilla, así como una vega
montuosa dentro en estas montañas, y parecían
grandes humos y grandes poblaciones en ella, y las
tierras muy labradas; por lo cual determinó de se
bajar a este puerto y probar si podía haber lengua
o práctica con ellos, el cual era tal que, si a los
otros puertos había alabado, éste dice que alababa
más con las tierras y templanza y comarca de ellas
y población. Dice maravillas de la lindeza de la tierra y de los árboles, donde hay pinos y palmas, y

de la grande vega, que aunque no es llana de llano que va al Surueste, pero es llana de montes llanos y bajos, la más hermosa cosa del mundo, y salen por ella muchas riberas de agua que descienden de estas montañas. Después de surgida la nao, saltó el Almirante en la barca para sondear el puerto, que es como una escodilla; y cuando fue frontero de la boca al Sur halló una entrada de un río que tenía de anchura que podía entrar una galera por ella y de tal manera que no se veía hasta que se llegase a ella y, entrando por ella tanto como longura de la barca tenía cinco brazas y de ocho de hondo. Andando por ella fue cosa maravillosa ver las arboledas y frescuras y el agua clarísima y las aves y la amenidad, que dice que le parecía que no quisiera salir de allí. Iba diciendo a los hombres que llevaba en su compañía que para hacer relación a los Reyes de las cosas que vían no bastarán mil lenguas a referillo ni su mano para lo escribir, que le parecía que estaba encantado. Deseaba que aquello vieran muchas otras personas prudentes y de crédito, de las cuales dice ser cierto que no encarecieran estas cosas menos que él. Dice más el Almirante aquí estas palabras: «Cuánto será el beneficio que de aquí se puede haber, yo no lo escribo. Es cierto, Señores Príncipes, que donde hay tales tierras que debe haber infinitas cosas de provecho; mas yo no me detengo en ningún puerto, porque querría ver todas las más tierras que yo pudiese para hacer relación de ellas a Vuestras Altezas, y también no sé la lengua, y la gente de estas tierras no me entienden ni yo ni otro que yo tenga a ellos. Y estos indios que yo traigo muchas veces les entiendo una cosa por otra al contrario, ni fío mucho de ellos, porque muchas veces han probado a fugir. Mas agora, placiendo a Nuestro Señor, veré lo más que yo pudiere, y poco a poco andaré entendiendo y conociendo y faré enseñar esta lengua a persona de mi casa, porque veo que es toda lengua una fasta aquí; y después se sabrá los beneficios y se trabajará de hacer todos estos pueblos cristianos porque de ligero se hará, porque ellos no tienen secta ninguna ni sor idólatras, y Vuestras Altezas mandarán hacer en estas partes ciudad e fortaleza y se convertirán estas tierras. Y certifico a Vuestras Altezas que debajo del sol no me parece que las puede haber mejores en fertilidad, en temperancia de frío y calor, en abundancia de aguas buenas y sanas, y no como los ríos de Guinea, que son todos pestilencia, porque, loado Nuestro Señor, hasta hoy de toda mi gente no ha habido persona que le haya mal la cabeza ni estado en cama por dolencia, salvo un viejo de dolor de piedra, de que él estaba toda su vida apasionado; y luego sanó al cabo de dos días. Esto que digo es en todos tres navíos. Así que placerá a Dios que Vuestras Altezas enviarán acá o vernán hombres doctos y verán después la verdad de todo. Y porque atrás tengo hablado del sitio de villa e fortaleza en el río de Mares por el buen puerto y por la comarca, es cierto que todo es verdad lo que yo dije, mas no ha ninguna comparación de allá aquí, ni de la mar de Nuestra Señora; porque aquí debe haber infra la tierra grandes poblaciones y gente innumerable y cosas de grande provecho, porque aquí, en todo lo otro descubierto y tengo esperanza de descubrir antes que yo vaya a Castilla, digo que terná la cristiandad negociación en ellas, cuanto más la España, a quien debe estar sujeto todo. Y digo que Vuestras Altezas no deben consentir que aquí trate ni faga pie ningún extranjero, salvo católicos cristianos, pues esto fue el fin y el comienzo del propósito, que fuese por acrecentamiento y gloria de la religión cristiana, ni venir a estar partes ninguno que no sea buen cristiano». Todas son sus palabras. Subió allí por el río arriba y halló unos brazos del río, y, rodeando el puerto, halló a la boca del río estaban unas arboledas muy graciosas como una muy deleitable huerta, y allí halló una almadía o canoa hecha de un madero tan grande como una fusta de doce bancos, muy hermosa, varada debajo de una atarazana o ramada hecha de madera y cubierta de grandes hojas de palma, por manera que ni el sol ni el agua le podían hacer daño. Y dice que allí era el propio lugar para hacer una villa o ciudad y fortaleza por el buen puerto, buenas aguas y tierras, buenas comarcas y mucha leña.

Miércoles 28 de noviembre.—Estúvose en aquel
puerto aquél día porque llovía y hacía gran cerrazón, aunque podía correr toda la costa con el viento,
que era Sudueste; y fuera a popa, pero porque no
pudiera ver bien la tierra, y no sabiéndola es peligroso a los navíos, no se partió. Salieron a tierra la
gente de los navíos y entraron algunos de ellos un
rato por la tierra adentro a lavar su ropa. Hallaron
grandes poblaciones y las casas vacías, porque se
habían huido todos. Tornáronse por otro río abajo,
mayor que aquel donde estaban en el puerto.

Jueves 29 de noviembre.—Porque llovía y el cielo
estaba de la manera cerrado, no se partió. Llegaron
algunos de los cristianos a otra población cerca de
la parte de Norueste, y hallaron en las casas a nadie ni nada. Y en el camino toparon con un viejo
que no les pudo huir; tomáronle y dijéronle que
no le querían hacer mal, y diéronle algunas cosillas
del resgate y dejáronlo. El Almirante quisiera vello
para vestillo y tomar lengua de él, porque le conten-
taba mucho la felicidad de aquella tierra y disposición que para poblar en ella había, y juzgaba que
debía de haber grandes poblaciones. Hallaron en una
casa un pan de cera, que trujo a los Reyes, y dice
que donde cera hay también debe haber otras mil
cosas buenas. Hallaron también los marineros en
una casa una cabeza de hombre dentro de un cestillo cubierto con otro cestillo y colgado de un poste de
la casa, y de la misma manera hallaron otra en otra
población. Creyó el Almirante que debía ser de algunos Principales del linaje, porque aquellas casas eran
de manera que se acogen en ella mucha gente en una
sola, y deben ser parientes descendientes de uno solo.

Viernes 30 de noviembre.—No se pudo partir,
porque el viento era Levante muy contrario a su
camino. Envió ocho hombres bien armados y con
ellos dos indios de los que traía, para que viesen
aquellos pueblos de la tierra dentro y por haber
lengua. Llegaron a muchas casas y no hallaron a
nadie ni nada, que todos se habían huido. Vieron
cuatro mancebos que estaban cavando en sus here-

dades. Así como vieron los cristianos dieron a huir;
no los pudieron alcanzar. Anduvieron diz que mucho
camino. Vieron muchas poblaciones y tierra fertilísima
y toda labrada y grandes riberas de agua,
y cerca de una vieron una almadia o canoa de noventa
y cinco palmos de longura de un solo madero,
muy hermosa, y que en ella cabrían y navegarian
ciento cincuenta personas.

Sábado 1 de diciembre.—No se partió, por la misma
causa del viento contrario y porque llovía mucho.
Asentó una cruz grande a la entrada de aquel
puerto que creo llamó *el Puerto Santo*, sobre unas
peñas vivas. La punta es aquella que está a la parte
del Sueste, a la entrada del puerto, y quien hobiere
de entrar en este puerto se debe llegar más sobre
la parte del Norueste a aquella punta que sobre la
otra del Sueste; puesto que al pie de ambas, junto
con la peña, hay doce brazas de hondo y muy limpio.
Más a la entrada del puerto, sobre la punta del
Sueste, hay una baja que sobreagua, la cual dista de
la punta tanto que se podría pasar entre medias,
habiendo necesidad, porque al pie de la baja y del
cabo todo es fondo de doce y de quince brazas, y a
la entrada se ha de poner la proa al Sudeste.

Domingo 2 de diciembre.—Todavía fue contrario
el viento y no pudo partir; dice que todas noches
del mundo vienta terral, y que todas las naos que
allí estuvieren no hayan miedo de toda la tormenta
de mundo, porque no puede recalar dentro por una
baja que está al principio del puerto, etc. En la boca
de aquel río diz que halló un grumete ciertas piedras
que parecen tener oro; trújolas para mostrar a
los Reyes. Dice que hay por allí, a tiro de lombarda,
grandes ríos.

Lunes 3 de diciembre.—Por causa de que hacía
siempre tiempo contrario, no partía de aquel puerto,
y acordó de ir a ver un cabo muy hermoso un cuarto
de legua del puerto de la parte del Sueste. Fue con
las barcas y alguna gente armada. Al pie del cabo
había una boca de un buen río, puesta la proa al

Sueste para entrar, y tenía cien pasos de anchura;
tenía una braza de fondo a la entrada o en la boca,
pero dentro había doce brazas, o cinco, y cuatro, y
dos, y cabrían en él cuantos navíos hay en España.
Dejando un brazo de aquel río fue al Sueste y halló
una caleta en que vido cinco muy grandes almadías
que los indios llaman canoas, como fustas muy hermosas y labradas que diz era placer vellas, y al pie
del monte vido todo labrado. Estaban debajo de árboles muy espesos, y yendo por un camino que salía a ellas, fueron a dar a una atarazana muy bien
ordenada y cubierta que ni sol ni agua no les podía
hacer daño, y debajo de ella había otra canoa hecha
de un madero como las otras, como una fusta de
diez y siete bancos. Era placer ver las labores que
tenía y su hermosura. Subió una montaña arriba y
después hallóla toda llana y sembrada de muchas
cosas de la tierra y calabazas, que era gloria vella;
y en medio de ella estaba una gran población. Dio
de súbito sobre la gente del pueblo, y, como los vieron, hombres y mujeres dan de huir. Aseguróles el
indio que llevaba consigo de los que traía, diciendo
que no hobiesen miedo, que gente buena era. Hízo-
los dar el Almirante cascabeles y sortijas de latón y
contezuelas de vidrio verdes y amarillas, con que
fueron muy contentos, visto que no tenían oro ni
otra cosa preciosa y que bastaba dejallos seguros y
que toda la comarca era poblada y huidos los demás
de miedo (y certifica el Almirante a los Reyes que
diez hombres hagan huir a diez mil: tan cobardes
y medrosos son que ni traen armas, salvo unas varas, y en el cabo de ellas un palillo agudo tostado),
acordó volverse. Dice que las varas se las quitó
todas con buena maña, resgatándoselas de manera
que todas las dieron. Tornados adonde habían dejado las barcas, envió ciertos cristianos al lugar por
donde subieron, porque le había parecido que había visto un gran colmenar. Antes que viniesen los
que había enviado, ayuntáronse muchos indios y vinieron a las barcas donde ya se había el Almirante
recogido con su gente toda; uno de ellos se adelantó
en el río junto con la popa de la barca e hizo una
grande plática que el Almirante no entendía, salvo

que los otros indios de cuando en cuando alzaban las manos al cielo y daban una grande voz. Pensaba el Almirante que lo aseguraban y que les placía de su venida; pero.vido al indio que consigo traía demudarse la cara y amarillo como la cera, y temblaba mucho, diciendo por señas que el Almirante se fuese fuera del río, que los querían matar, y llegóse a un cristiano que tenía una ballesta armada y mostróla a los indios, y entendió el Almirante que los decía que los matarían todos, porque aquella ballesta tiraba lejos y mataba. También tomó una espada y la sacó de la vaina, mostrándola diciendo lo mismo; lo cual oído por ellos dieron todos a huir, quedando todavía temblando el dicho indio de cobardía y poco corazón, y era hombre de buena estatura y recio. No quiso el Almirante salir del río; antes hizo remar en tierra hacia donde ellos estaban, que eran muy muchos, todo teñidos de colorado y desnudos como su madre los parió, y algunos de ellos con penachos en la cabeza y otras plumas, todos con sus manojos de azagayas. «Llégueme a ellos y diles algunos bocados de pan y demandéles las azagayas, y dábales por ellas a unos un cascabelito, a otros una sortijuela de latón, a otros unas contezuelas; por manera que todos se apaciguaron y vinieron todos a las barcas y daban cuanto tenían porque que quiera que les daban. Los marineros habían muerto una tortuga y la cáscara estaba en la barca en pedazos, y los grumetes dábanles de ella como la uña y los indios les daban un manojo de azagayas. Ellos son gente como los otros que he hallado —dice el Almirante—, y de la misma creencia, y creían que veníamos del cielo; y de lo que tienen luego lo dan por cualquier cosa que les den, sin decir que es poco, y creo que así harían de especería y de oro si lo tuviesen. Vide una casa hermosa no muy grande y de dos puertas, porque así son todas, y entré en ella y vide una obra maravillosa, como cámaras hechas por una cierta manera que no lo sabría decir, y colgando al cielo de ella caracoles y otras cosas. Yo pensé que era templo, y los llamé y dije por señas si hacían en ella oración; dijeron que no, y subió uno de ellos arriba y me daba todo cuanto allí había, y de ello tomé algo».

Martes 4 de diciembre.—Hízose a la vela con poco viento y salió de aquel puerto que nombró *Puerto Santo.* A las dos leguas vido un buen río de que ayer habló: fue de luengo de costa y corríase toda la tierra, pasado el dicho cabo, Lesueste y Ouesnoroeste hasta el Cabo Lindo, que está al cabo del Monte al Leste cuarta del Sueste, y hay de uno a otro cinco leguas. Del cabo del Monte a legua y media hay un gran río algo angosto; pareció que tenía buena entrada y era muy hondo. Y de allí a tres cuartos de legua, vido otro grandísimo río, y debe venir de muy lejos. En la boca tenía bien cien pasos y en ella ningón banco, y en la boca ocho brazas y buena entrada: porque lo envió a ver y sondar con la barca, y tiene el agua dulce hasta dentro en la mar, y es de los caudalosos que había hallado, y debe haber grandes poblaciones. Después del Cabo Lindo hay una grande bahía que sería buen paso por Lesnordeste y Sueste y Sursudeste.

Miércoles 5 de diciembre.—Toda esta noche anduvo a la corda sobre el Cabo Lindo, adonde anocheció, por ver la tierra que iba al Leste; y al salir del sol vido otro cabo al Leste a dos leguas y media. Pasado aquél, vido que la costa volvía al Sur y tomaba del Sudueste, y vido luego un cabo muy hermoso y alto a la dicha derrota, y distaba de ese otro siete leguas. Quisiera ir allá, pero por el deseo que tenía de ir a la isla de Babeque, que le quedaba, según decían los indios que llevaba, al Nordeste, lo dejó. Tampoco pudo ir al Babeque, porque el viento que llevaba era Nordeste. Yendo así, miró al Sueste y vido tierra y era una isla muy grande, de la cual tenía diz que información de los indios, a que llamaban ellos Bohío, poblada de gente. De esta gente diz que los de Cuba o Juana y de todas esotras islas tienen gran miedo, porque diz que comían los hombres. Otras cosas le contaban los dichos indios, por señas, muy maravillosas: mas el Almirante no diz que las creía, sino que debían tener más astucia y mejor ingenio los de aquella isla Bohío para los captivar que ellos, porque eran muy flacos de corazón. Así que porque el tiempo era Nordeste y tomaba del Norte, determinó dejar a Cuba o Juana, que hasta entonces había tenido por tierra firme por su grandeza, porque bien habría andado en un paraje ciento y veinte leguas; y partió al Sueste cuarta del Leste, puesto que la tierra que él había visto se hacía al Sueste, daba este resguardo porque siempre y el viento rodea del Norte para el Nordeste y de allí al Leste y Sueste. Cargó mucho el viento y llevaba todas sus velas, la mar llana y la corriente que le ayudaba, por manera que hasta la una después de medio día desde la mañana hacía de camino ocho millas por hora, y eran seis horas aún no cumplidas, porque dicen que allí eran las noches cerca de quince horas. Después anduvo diez millas por hora; y así andaría hasta poner del sol ochenta y ocho millas, que son veintidós leguas, todo al Sueste. Y porque se hacía noche, mandó a la carabela *Niña* que se adelantase para ver con el día el puerto, porque era velera, y llegando a la boca del puerto, que era como la bahía de Cádiz, y porque era ya de noche, envió a su barca que sondase el puerto, la cual llevó lumbre de candela; y antes que el Almirante llegase adonde la carabela estaba borloventando y esperando que la barca le hiciese señas para entrar en el puerto, apagósele la lumbre a la barca. La carabela, como no vido lumbre, corrió de largo e hizo lumbre al Almirante, y, llegado a ella contaron lo que había acaecido. Estando en esto, los de la barca hicieron otra lumbre: la carabela fue a ella, y el Almirante no pudo, y estuvo toda aquella noche barloventeando.

Jueves 6 de diciembre.—Cuando amaneció, se halló cuatro leguas del puerto, púsole nombre *Puerto María*, y vido un cabo hermoso al Sur, cuarta del Sudeste, al cual puso nombre *Cabo de la Estrella*, y parecióle que era la postrera tierra de aquella isla hacia el Sur; y estaría el Almirante de él veintiocho millas. Parecióle otra tierra como isla no grande al Leste, y estaría de él cuarenta millas. Quedábale otro cabo muy hermoso y bien hecho, a quien puso nombre *Cabo del Elefante*, al Leste, cuarta del Sudeste, y distábale ya cincuenta y cuatro millas. Quedábale otro cabo al Lesueste, al que puso nombre del *Cabo de Cinquin*; estaría de él veintiocho millas. Quedábale una gran escisura o abertura o abra a la mar, que le pareció ser río, el Sueste, y tomaba de la cuarta del Leste, habría de él a la abra veinte millas. Parecíale que entre el Cabo del Elefante del de Cinquin había una grandísima entrada, y algunos de los marineros decían que eran apartamiento de isla; aquélla puso por nombre la *Isla de la Tortuga*. Aquella isla grande parecía altísima tierra, no cerrada con montes, sino rasa como hermosas campiñas, y parece toda labrada o grande parte de ella, y parecían las sementeras como trigo en el mes de mayo en la campiña de Córdoba. Viéronse muchos fuegos aquella noche, y de día muchos humos como atalayas, que parecía estar sobre aviso de alguna gente con quien tuviesen guerra. Toda la costa de esta tierra va al Leste. A hora de vísperas entró en el puerto dicho, y púsole nombre *Puerto de San Nicolao*, porque era día de San Nicolás, por honra suya, y a la entrada de él se maravilló de su hermosura y bondad. Y aunque tiene mucho alabados los puertos de Cuba, pero sin duda dice él que no es menos éste, antes los sobrepuja y ninguno le es semejante. En boca y entrada tiene legua y media de ancho, y se pone la proa al Sursueste, puesto que por la grande anchura se puede poner la proa adonde quisieren. Va de esta manera al Sursueste dos leguas; y a la entrada de él por la parte del Sur se hace como una angla, y de allí se sigue así igual hasta el cabo, adonde está una playa muy hermosa y un campo de árboles de mil maneras y todos cargados de frutas, que creía el Almirante ser de especería y nueces moscadas, sino que no estaban maduras y no se conocía, y un río en medio de la playa. El hondo de este puerto es maravilloso, que hasta llegar a la tierra en longura de una *   no llegó la sondaresa o plomada al fondo con cuarenta bra-

---

* Vacío en el texto original.

zas, y hay hasta esta longura el hondo de quince
brazas y muy limpio; y así es todo el dicho puerto
de cada cabo hondo dentro a una pasada de tierra
de quince brazas, y limpio; y de esta manera es
toda la costa, muy hondable y limpia, que no parece
una sola baja, y al pie de ella, tanto como longura
de un remo de barca de tierra, tiene cinco brazas,
y después de la longura de dicho puerto, yendo al
Sursueste, en la cual longura pueden barloventear
mil carracas, baja un brazo del puerto al Nordeste
por la tierra dentro de una grande media legua, y
siempre en una misma anchura, como que lo hi-
cieran por un cordel, el cual queda de manera que,
estando en aquel brazo, que será de anchura de
veinticinco pasos, no se puede ver la boca de la entrada grande, de manera que queda puerto cerrado,
y el fondo de este brazo es así en el comienzo hasta
el fin de once brazas, y todo base o arena limpia, y
hasta tierra y poner los bordos en las hierbas tiene
ocho brazas. Es todo el puerto muy airoso y desaba-
hado, de árboles raso. Toda esta isla le pareció de
más peñas que ninguna otra que haya hallado: los
árboles más pequeños, y muchos de ellos de la naturaleza de España, como carrascos y madroños y
otros, y lo mismo de las hierbas, Es tierra muy alta,
y toda campiña o rasa y de muy buenos aires, y
no se ha visto tan frío como allí, aunque no es de
contar por frío, mas díjole al respecto de las otras
tierras. Hacía enfrente de aquel puerto, una hermosa vega, y en medio de ella el río susodicho; y en
aquella comarca (dice) debe haber grandes poblaciones según se veían las almadías con que navegan
tantas y tan grandes de ellas como una fusta de
quince bancos. Todos los indios huyeron y huían
como vían los navíos. Los que consigo de las isletas
traía tenían tanta gana de ir a su tierra que pensaba (dice el Almirante) que, después que se partie-
sen de allí, los tenía de llevar a sus casas, y que ya
lo tenían por sospechoso porque no llevaba el camino de su casa, por lo cual dice que ni les creía lo
que le decían, ni los entendía bien ni ellos a él, y
diz que habían el mayor miedo del mundo de la
gente de aquella isla. Así que, por querer haber len-

gua con la gente de aquella isla, le fuera necesario detenerse algunos días en aquel puerto, pero no lo hacía por ver mucha tierra y por dudar que el tiempo le duraría. Esperaba en Nuestro Señor que los indios que traía sabrían su lengua y él la suya, y después tornaría, y hablará con aquella gente, y placerá a Su Majestad (dice él) que hallará algún buen resgate de oro antes que vuelva.

Viernes 7 de diciembre.—Al rendir del cuarto del alba, dio las velas y salió de aquel Puerto de San Nicolás y navegó con el viento Sudueste al Nordeste dos leguas, hasta un cabo que hace el Carenero, y quedábale al Sueste un angla y el Cabo de la Estrella al Sudueste, y distaba del Almirante veinte y cuatro millas. De allí navegó al Leste, luengo de costa hasta el cabo Cinquin, que sería cuarenta y ocho millas; verdad es que las veinte fueron al Leste cuarta del Nordeste, y aquella costa es tierra toda muy alta y muy grande fondo; hasta dar en tierra es de veinte y treinta brazas, y fuera tanto como un tiro de lombarda no se halla fondo, lo cual todo lo probó el Almirante aquel día por la costa, mucho a su placer con el viento Sudueste. El angla que arriba dijo llega diz que al Puerto de San Nicolás tanto como tiro de una lombarda, que si aquel espacio se atajase e cortase quedaría hecho isla, lo demás bojaría en el cerco tres o cuatro millas. Toda aquella tierra era muy alta y no de árboles grandes sino como carrascos y madroños, propia, diz, tierra de Castilla. Antes que llegase al dicho Cabo de Cinquin con dos leguas, halló una agrezuela como la abertura de una montaña, por la cual descubrió un valle grandísimo, y vídolo todo sembrado como cebadas, y sintió que debía de haber en aquel valle grandes poblaciones, y a las espaldas de él había grandes montañas y muy altas. Y cuando llego al Cabo de Cinquin, lo demoraba el Cabo de la Tortuga al Nordeste, y habría treinta y dos millas, y sobre este Cabo Cinquin, a tiro de una lombarda, está una peña en la mar que sale en alto que se puede ver bien; y, estando el Almirante sobre dicho cabo, la demoraba el Cabo del Elefante al Leste, cuarta

del Sueste, y habría hasta él setenta millas, y toda
tierra muy alta. Y a cabo de seis leguas, halló una
grande angla, y vido por la tierra dentro muy grandes valles y campiñas y montañas altísimas, todo a
semejanza de Castilla. Y dende a ocho millas, halló
un río muy hondo, sino que era angosto, aunque
bien pudiera entrar en él una carraca, y la boca
todavía sin banco ni bajas. Y dende a diez y seis
millas, halló un puerto muy ancho y muy hondo,
hasta no hallar fondo en la entrada ni a las bordas
a tres pasos, salvo quince brazas, y va dentro un
cuarto de legua. Y puesto que fuese aún muy temprano, como la una después de medio día, y el viento era
a popa y recio, pero porque el cielo mostraba querer llover mucho y habría gran cerrazón, que es
peligrosa aun para la tierra que se sabe, cuanto más
en la que no se sabe, acordó entrar en el puerto, al
cual llamó *Puerto de la Concepción*, y salió a tierra
en un río no muy grande que está al cabo del puerto, que viene por una vegas y campiñas que era
una maravilla ver su hermosura. Llevó redes para
pescar, y antes que llegase a tierra saltó una lisa
como las de España propia en la barca, que hasta
entonces no había visto pece que pareciese a los de
Castilla. Los marineros pescaron y mataron otras, y
lenguados y otros peces como los de Castilla. Anduvo un poco por aquella tierra que es toda labrada, y
oyó cantar el ruiseñor y otros pajaritos como los
de Castilla. Vieron cinco hombres, mas no les quisieron aguardar sino huir. Halló arrayán y otros árboles y hierbas como los de Castilla, y así es la
tierra y las montañas.

Sábado 8 de diciembre.—Allí en aquel puerto les
llovió mucho con viento Norte muy recio: el puerto
es seguro de todos los vientos excepto norte, puesto
que no le puede hacer daño alguno, porque la resaca
es grande, que no da lugar a que la nao labore sobre
las amarras ni el agua del río. Después de media
noche se tornó el viento al Nordéste y después al
Leste, de los cuales vientos es aquel puerto bien abrigado por la isla de la Tortuga, que está frontera
treinta y seis millas.

Domingo 9 de diciembre.—Este día llovió e hizo tiempo de invierno como en Castilla por octubre. No había visto población sino una casa muy hermosa en el Puerto de San Nicolás, y mejor hecha que en otras partes de las que había visto. La isla es muy grande, y dice el Almirante que no será mucho que boje doscientas leguas: ha visto que es toda muy labrada; creía que debían ser las poblaciones lejos de la mar de donde ven cuando llegaba, y así huían todos y llevaban consigo todo lo que tenían y hacían ahumadas como gente de guerra. Este puerto tiene en la boca mil pasos, que es un cuarto de legua: en ella ni hay banco ni baja, antes no se halla cuasi fondo hasta en tierra a la orilla de la mar, y hacia dentro, en luengo, va tres mil pasos todo limpio y basa que cualquiera nao puede surgir en él sin miedo y entrar sin resguardo. Al cabo de él tiene dos bocas de ríos que traen poca agua; enfrente de él hay una vegas las más hermosas del mundo y cuasi semejables a las tierras de Castilla, antes éstas tienen ventaja, por lo cual puso nombre a la dicha isla la *Isla Española*.

Lunes 10 de diciembre.—Ventó mucho el Nordeste, y hízole garrar las anclas medio cable, de que se maravilló el Almirante, y echólo a que las anclas estaban mucho a tierra y venía sobre ella el viento. Y visto que era contrario para ir donde pretendía, envió seis hombres bien aderezados de armas a tierra que fuesen dos o tres leguas dentro en la tierra para ver si pudieran haber lengua. Fueron y volvieron no habiendo hallado gente ni casas: hallaron empero unas cabañas y caminos muy anchos y lugares donde habían hecho lumbre muchos; vieron las mejores tierras del mundo y hallaron árboles de almáciga muchos, y trujeron de ella y dijeron que había mucha, salvo que no es agora el tiempo para cogella, porque no cuaja.

Martes 11 de diciembre.—No partió por el viento, que todavía era Leste y Nordeste. Frontero de aquel puerto, como está dicho, está la isla de la Tortuga, y parece grande isla, y va la costa de ella cuasi como la Española, y puede haber de la una a la otra, a lo más, diez leguas; conviene a saber, desde el Cabo de Cinquin a la cabeza de la Tortuga; después la costa de ella se corre al Sur. Dice que quería ver aquel entremedio destas dos islas por ver la isla Española, que es la más hermosa cosa del mundo, y porque según le decían los indios que traía, por allí se había de ir a la isla de Babeque, los cuales le decían que era isla muy grande y de muy grandes montañas y ríos y valles, y decían que la isla de Bohío era mayor que la Juana a que llaman Cuba, y que no está cercada de agua, y parece dar a entender ser tierra firme, que es aquí detrás de esta Española a que ellos llaman Caritaba, y que es cosa infinita, y cuasi traen razón que ellos sean trabajados de gente astuta, porque todas estas islas viven con gran miedo de los de Caniba, y así torno a decir como otras veces dije, dice él, que Caniba no es otra cosa sino la gente del Gran Can, que debe ser aquí muy vecino, y terná navíos y vernán a captivarlos, y como no vuelven creen que se los han comido. Cada día entendemos más a estos indios y ellos a nosotros, puesto que muchas veces hayan entendido uno por otro (dice el Almirante). Envió gente a tierra, hallaron mucha almáciga sin cuajarse; dice que las aguas le deben hacer, y que en Xió lo cogen por marzo, y que en enero la cogerían en aquestas tierras por ser tan templadas. Pescaron muchos pescados como los de Castilla, albures, salmones, pijotas, gallos, pámpanos, lisas, corbinas, camarones, y vieron sardinas; hallaron mucho linaloe.

Miércoles 12 de diciembre.—No partió aqueste día, por la misma causa del viento contrario dicha. Puso una gran cruz a la entrada del puerto de la parte del Oueste, en un alto muy vistoso, «en señal (dice él) que Vuestras Altezas tienen la tierra por suya, y principalmente por señal de Jesucristo Nuestro Señor y honra de la Cristiandad»; la cual puesta, tres marineros metieron por el monte a ver los árboles y hierbas, y oyeron un gran golpe de gente, todos desnudos como los de atrás, a los cuales llamaron e fueron tras ellos, pero dieron los indios a huir,

Y, finalmente tomaron una mujer, que no pudieron más, porque yo (él dice) les había mandado que tomasen algunos para honrallos y hacelles perder el miedo y si hobiesen alguna cosa de provecho, como no parece poder ser otra cosa según la fermosura de la tierra; y así trujeron una mujer muy moza y hermosa a la nao, y habló con aquellos indios, porque todos tenían una lengua. Hízola el Almirante vestir y diole cuentas de vidrio y cascabeles y sortijas de latón y tornóla enviar a tierra muy honradamente, según su costumbre; envió algunas personas de la nao con ella, y tres de los indios que llevaba consigo, porque hablasen con aquella gente. Los marineros que iban en la barca, cuando la llevaban a tierra, dijeron al Almirante que ya no quisiera salir de la nao sino quedarse con las otras mujeres indias que había hecho tomar en el puerto de Mares de la isla Juana de Cuba. Todos estos indios que venían con aquella india diz que venían en una canoa, que es su carabela, en que navegan de alguna parte, y cuando asomaron a la entrada del puerto y vieron los navíos, volviéronse atrás y dejaron la canoa por allí en algún lugar y fuéronse camino de su población. Ella mostraba el paraje de la población. Traía esta mujer un pedacito de oro en la nariz, que era señal que había en aquella isla oro.

Jueves 13 de diciembre.—Volvieron los tres hombres que había enviado el Almirante con la mujer a tres horas de la noche, y no fueron con ella hasta la población, porque les pareció lejos o porque tuvieron miedo. Dijeron que otro día vernían mucha gente a los navíos, porque ya debían de estar asegurados por las nuevas que daría la mujer. El Almirante, con deseo de saber si había alguna cosa de provecho en aquella tierra, y por haber alguna lengua con aquella gente por ser la tierra tan hermosa y fértil, y tomasen gana de servir a los Reyes, determinó de tornar a enviar a la población, confiando en las nuevas que la india habría dado de los cristianos ser buena gente, para lo cual escogió nueve hombres bien aderezados de armas y aptos para semejante negocio, con los cuales fue un indio de los

que traía. Éstos fueron a la población que estaba
cuatro leguas y media a Sueste, la cual hallaron en
un grandísimo valle y vacía, porque, como sintieron
ir los cristianos, todos huyeron, dejando cuanto tenían, la tierra dentro. La población era de mil casas
y de más de mil hombres. El indio que llevaban los
cristianos corrió tras ellos dando voces, diciendo
que no hobiesen miedo, que los cristianos no eran
de Cariba, mas antes eran del cielo, y que daban
muchas cosas hermosas a todos los que hallaban.
Tanto les imprimió lo que decía, que se aseguraron
y vinieron junto de ellos más de dos mil, y todos
venían a los cristianos y les ponían las manos sobre
la cabeza, que era señal de gran reverencia y amistad, los cuales estaban todos temblando hasta que
mucho los aseguraron. Dijeron los cristianos que,
después que ya estaban sin temor, iban todos a sus
casas, y cada uno les traía de lo que tenía de comer,
que es pan de niames, que son unas raíces como rá-
banos grandes que nacen, que siembran y nacen y
plantas en todas sus tierras, y es su vida, y hacen
de ellas pan y cuecen y asan y tienen sabor propio
de castañas, y no hay quien no crea comiéndolas que
no sean castañas. Dábanles pan y pescado y de lo
que tenían. Y porque los indios que traía en el navío
tenían entendido que el Almirante deseaba tener algún papagayo, parece que aquel indio que iba con
los cristianos díjoles algo de esto, y así les trujeron
papagayos y los daban cuanto les pedían sin querer
nada por ello. Rogábanles que no se viniesen aquella noche y que les darían otras muchas cosas que
tenían en la sierra. Al tiempo que toda aquella gente estaba junta con los cristianos vieron venir una
gran batalla o multitud de gente con el marido de la
mujer que había el Almirante honrado y enviado,
la cual traían caballera sobre sus hombros, y venían
a dar gracias a los cristianos por la honra que el
Almirante le había hecho y dádivas que le había
dado. Dijeron los cristianos al Almirante que era
toda gente más hermosa y de mejor condición que
ninguna otra de las que habían hasta allí hallado;
pero dice el Almirante que no sabe cómo puedan
ser de mejor condición que las otras, dando a enten-

der que todas las que habían en las otras islas hallado era de muy buena condición. Cuando a la hermosura, decían los cristianos que no había comparación, así en los hombres como en las mujeres, y que son blancos más que los otros, y que entre los otros vieron dos mujeres mozas tan blancas como podían ser en España. Dijeron también de la hermosura de las tierras que vieron que ninguna comparación tienen las de Castilla las mejores en hermosura y en bondad, y el Almirante así lo vía por las que ha visto y por las que tenía presentes, y decíanle que las que vía ninguna comparación tenían con aquellas de aquel valle, ni la campiña de Córdoba llegaba aquélla con tanta diferencia como tiene el día de la noche. Decían que todas aquellas tierras estaban labradas y que por medio de aquel valle pasaba un río muy ancho y grande que podía regar todas las tierras. Estaban todos los árboles verdes y llenos de fruta y las hierbas todas floridas y muy altas; los caminos muy anchos y buenos los aires eran como en abril en Castilla, cantaba el ruiseñor y otros pajaritos como en el dicho mes en España, que dicen que era la mayor dulzura del mundo. Las noches cantaban algunos pajaritos suavemente; los grillos y ranas se oían muchas; los pescados como en España. Vieron muchos almácigos y linaloe y algodonales; oro no hallaron, y no es maravilla en tan poco tiempo no se halle. Tomó aquí el Almirante experiencia de qué horas era el día y la noche y de sol a sol; halló que pasaron veinte ampolletas, que son de a media hora, aunque dice que allí puede haber defecto, porque o no la vuelven presto o deja de pasar algo. Dice también que halló por el cuadrante que estaba de la línea equinocial treinta y cuatro grados.

Viernes 14 de diciembre.—Salió de aquel Puerto de la Concepción con terral, y luego desde a poco calmó, y así lo experimentó cada día de los que por allí estuvo. Después vino viento Levante; navegó con él al Nornordeste, llegó a la isla de la Tortuga, vido una punta de ella que llamó la *Punta Pierna,* que estaba al Lesnordeste de la cabeza de la isla, y

habría doce millas, y de allí descubrió otra punta que
llamó la *Punta Lanzada,* en la misma derrota del
Nordeste, que habría diez y seis millas. Y así desde
la cabeza de la Tortuga hasta la Punta Aguda habría
cuarenta y cuatro millas, que son once leguas al
Lesnordeste. En aquel camino había algunos pedazos
de playa grandes. Esta isla de la Tortuga es tierra
muy alta, pero no montañosa, y es muy hermosa y
muy poblada de gente como la de la isla Española,
y la tierra así toda labrada, que parecía ver la campiña de Córdoba. Visto que el viento le era contrario
y no podía ir a la isla Baneque, acordó tornarse
al Puerto de la Concepción, de donde había salido,
y no pudo cobrar un río que está de la parte del
Leste del dicho dos leguas.

Sábado 15 de diciembre.—Salió del puerto de la
Concepción otra vez para su camino, pero, en saliendo del puerto, ventó Leste recio su contrario, y
tomó la vuelta de la Tortuga hasta ella, y de allí
dio vuelta para ver aquel río que ayer quisiera ver
y tomar y no pudo, y de esta vuelta tampoco lo pudo
tomar, aunque surgió media legua de sotavento en
una playa, buen surgidero y limpio. Amarrados sus
navíos, fue con las barcas a ver el río, y entró por
un brazo de mar que está antes de media legua, y
no era la boca. Volvió, y halló la boca que no tenía
aún una braza, y venía muy recio; entró con las
barcas por él, para llegar a las poblaciones que los
que antier había enviado habían visto, y mandó
echar la sirga en tierra, y, tirando los marineros de
ella, subieron las barcas dos tiros de lombarda, y no
pudo andar más por la reciura del corriente del
río. Vido algunas casas y el valle grande donde están las poblaciones, y dijo que otra cosa más hermosa no había visto, por medio del cual valle viene
aquel río. Vido también gente a la entrada del río,
más todos dieron a huir. Dice más, que aquella gente debe ser muy cazada, pues vive con tanto temor,
porque en llegando que llegan a cualquier parte, luego hacen ahumadas de las atalayas por toda la tierra, y esto más en esta isla Española y en la Tortuga, que también es grande isla, que en las otras

que atrás dejaba. Puso nombre al valle *Valle del Paraíso*, y al río *Guadalquivir*, porque diz que así viene tan grande como Guadalquivir por Córdoba, y las veras o riberas de él playa de piedras muy hermosas, y todo andable.

Domingo 16 de diciembre.—A la media noche, con el ventezuelo de tierra, dio las velas por salir de aquel golfo, y viniendo del bordo de la isla Española yendo a la bolina, porque luego a hora de tercia ventó Leste, a medio golfo halló una canoa con un indio solo en ella, de que se maravillaba el Almirante cómo se podía tener sobre el agua siendo el viento grande. Hízolo meter en la nao a él y su canoa, y halagado, diole cuentas de vidrio, cascabeles y sortijas de latón y llevólo en la nao hasta tierra a una población que estaba de allí diez y seis millas junto a la mar, donde surgió el Almirante y halló buen surgidero en la playa junto a la población, que parecía ser de nuevo hecha, porque todas las casas eran nuevas. El indio fuese luego con su canoa a tierra y da nuevas del Almirante y de los cristianos, por ser buena gente, puesto que ya las tenían por lo pasado de las otras donde habían ido los seis cristianos, y luego vinieron más de quinientos hombres, y desde a poco vino el rey de ellos, todos en la playa junto a los navíos, porque estaban surgidos muy cerca de tierra. Luego uno a uno, y muchos a muchos, venían a la nao sin traer consigo cosa alguna, puesto que algunos traían algunos granos de oro finísimo en las orejas y en la nariz, el cual luego daban de buena gana. Mandó hacer honra a todos el Almirante, y dice él porque son la mejor gente del mundo y más mansa; y sobre todo, que tengo mucha esperanza en Nuestro Señor que Vuestras Altezas los harán todos cristianos, y serán todos suyos, que por suyos los tengo. Vido también que el dicho rey estaba en la playa, que todos le hacían acatamiento. Envióle un presente el Almirante, el cual diz que recibió con mucho estado, y que sería mozo de hasta veintiún años, y que tenía un ayo viejo y otros consejeros que le aconsejaban y respondían, y que él hablaba muy pocas palabras. Uno

de los indios que traía el Almirante habló con él,
le dijo que cómo venían los cristianos del cielo, y
que andaba en busca de oro y quería ir a la isla
de Baneque; y él respondió que bien era, y que en
la dicha isla había mucho oro, el cual amostró al
alguacil del Almirante que le llevó el presente, el
camino que había de llevar, y que en dos días iría
de allí a ella, y que si de su tierra había menester
algo lo daría de muy buena voluntad. Este rey y
todos los otros andaban desnudos como sus madres
los parieron, y así las mujeres, sin algún empacho,
y son los más hermosos hombres y mujeres que hasta
allí hobieron hallado: harto blancos, que si vestidos
anduviesen y guardasen del sol y del aire, serían
cuasi tan blancos como en España, porque esta tierra es harto fría y la mejor que lengua puede decir.
Es muy alta, y sobre el mayor monte podrían arar
bueyes, y hecha toda a campiñas y valles. En toda
Castilla no hay tierra que se pueda comparar a ella
en hermosura y bondad. Toda esta isla y la de la
Tortuga son todas labradas como la campiña de Córdoba. Tienen sembrado en ellas ajes, que son unas
ramillos que plantan, y al pie de ellos nacen unas
raíces como zanahorias, que sirven por pan, y rallan
y amasan y hacen pan de ellas, y después tornan a
plantar el mismo ramillo en otra parte y torna a dar
cuatro o cinco de aquellas raíces que son muy sa-
brosas, propio gusto de castaña. Aquí las hay más
gordas y buenas que había visto en ninguna parte,
porque también diz que de aquellas había en Guinea.
Las de aquel lugar eran tan gordas como la pierna, y aquella gente todos diz que eran gordos y va-
lientes y no flacos, como los otros que antes había
hallado, y de muy dulce conversación, sin secta. Y
los árboles de allí diz que eran tan viciosos que las
hojas dejaban de ser verdes y eran prietas de verdura. Era cosa de maravilla ver aquellos valles y los
ríos buenas aguas, y las tierras para pan, para ganados de todas suertes, y de que ellos no tienen alguna, para huertas y para todas las cosas del mundo que el hombre sepa pedir. Después a la tarde vino
el rey a la nao. El Almirante le hizo la honra que
debía y le hizo decir cómo era de los Reyes de Cas-

tilla, los cuales eran los mayores príncipes del mundo. Mas ni los indios que el Almirante traía, que eran los intérpretes, creían nada, ni el rey tampoco, sino creían que venían del cielo y que los reinos de los reyes de Castilla eran en el cielo y no en este mundo. Pusiéronle de comer al rey de las cosas de Castilla y él comía un bocado y después dábalo todo a sus consejeros y al ayo y a los demás que metió consigo. «Crean Vuestras Altezas que estas tierras son en tanta cantidad buenas y fértiles y en especial estas de esta isla Española, que no hay persona que lo sepa decir, y nadie lo puede creer si no lo viese. Y crean que esta isla y todas las otras son así suyas como Castilla, que aquí no falta, salvo asiento y mandarles hacer lo que quisieren, porque yo con esta gente que traigo, que no son muchos, correría todas estas islas sin afrenta, que ya he visto sólo tres de estos marineros descender en tierra y haber multitud de estos indios y todos huir, sin que les quisiesen hacer mal. Ellos no tienen armas, y son todos desnudos y de ningún ingenio en las armas y muy cobardes, que mil no aguardarían tres, y así son buenos para les mandar y les hacer trabajar, sembrar y hacer todo lo otro que fuere menester y que hagan villas y se enseñen a andar vestidos y a nuestras costumbres».

Lunes 17 de diciembre.—Ventó aquella noche reciamente, viento Lesnordeste, no se alteró mucho la mar porque lo estorba y escuda la isla de la Tortuga que está frontero y hace abrigo. Así estuvo allí aqueste día. Envió a pescar los marineros con redes; holgáronse mucho con los cristianos los indios y trujéronles ciertas flechas de los de los Caniba o de los Caníbales, y son de las espigas de cañas, y exigiéronles unos palillos tostados y agudos, y son muy largos. Mostráronles dos hombres que les faltaban algunos pedazos de carne de su cuerpo y hiciéronles entender que los caníbales los habían comido a bocados; el Almirante no lo creyó. Tornó a enviar ciertos cristianos a la población, y a truque de contezuelas de vidrio rescataron algunos pedazos de oro labrado en hoja delgada. Vieron a uno que tuvo el Almirante por gobernador de aquella provincia, que llamaban *cacique,* un pedazo tan grande como la mano de aquella hoja de oro, y parecía que lo quería resgatar; el cual se fue a su casa y los otros quedaron en la plaza. Y él hacía hacer pedazuelos de aquella pieza, y trayendo cada vez un pedazuelo resgatábalo. Después que no hobo más, dijo por señas que él había enviado por más y que otro día lo traerían. Estas cosas todas y la manera de ellos y sus costumbres y mansedumbre y consejo, muestra de ser gente más despierta y entendida que otros hasta allí hobiese hallado, dice el Almirante. En la tarde vino allí una canoa de la isla de la Tortuga con bien cuarenta hombres, y, en llegando a la playa, toda la gente del pueblo que estaba junta se asentaron todos en señal de paz, y algunos de la canoa y cuasi todos descendieron en tierra. El cacique que se levantó sólo, y con palabras que parecían de amenaza los hizo volver a la canoa y les echaba agua, y tomaba piedras de la playa y las echaban en el agua; y después que ya todos con mucha obediencia se pusieron y embarcaron en la canoa, él tomó una piedra y la puso en la mano a mi alguacil para que les tirase, al cual yo había enviado a tierra y al escribano y a otros para ver si traían algo que aprovechase, y el alguacil no les quiso tirar. Allí mostró mucho aquel cacique que se favorecía con el Almirante. La canoa se fue luego, y dijeron al Almirante después de ida que en la Tortuga había más oro que en la isla Española, porque es más cerca de Baneque. Dijo el Almirante que creía que en aquella isla Española ni en la Tortuga hobiese minas de oro, sino que lo traían de Baneque, y que traen poco, porque no tienen aquéllos qué dar por ello, y aquella tierra es tan gruesa que no ha menester que trabajen mucho para sustentarse ni para vestirse, como anden desnudos. Y creía el Almirante que estaba muy cerca de la fuente, y que Nuestro Señor le había de mostrar dónde nace el oro. Tenía nueva que de allí al Baneque había cuatro jornadas, que podrían ser treinta o cuarenta leguas, que en un día de buen tiempo se podían andar.

Martes 18 de diciembre.—Estovo en aquella playa surto este día porque no había viento y también porque había dicho el cacique que había de traer oro, no porque tuviese en mucho el Almirante el oro, diz, que podía traer, pues allí no había minas, sino por saber mejor de dónde lo traían. Luego en amaneciendo mandó ataviar la nao y la carabela de armas y banderas por la fiesta que era este día de Sancta María de la O o conmemoración de la Anunciación. Tiráronse muchos tiros de lombardas, y el rey de aquella isla Española (dice el Almirante) había madrugado de su casa, que debía de distar cinco leguas de allí, según pudo juzgar, y llegó a hora de tercia a aquella población donde ya estaban algunos de la nao que el Almirante había enviado para ver si venía oro; los cuales dijeron que venían con el rey más de doscientos hombres y que lo traían en unas andas cuatro hombres, y era mozo como arriba se dijo. Hoy, estando el Almirante comiendo debajo del castillo, llegó a la nao con toda su gente. Y dice el Almirante a los Reyes: «Sin duda pareciera bien a Vuestras Altezas su estado y acatamiento que todos le tienen, puesto que todos andan desnudos. Él, así como entró en la nao, halló que estaba comiendo a la mesa debajo del castillo de popa, y él a buen andar se vino a sentar a par de mí y no me quiso dar lugar que yo me saliese a él ni me levantase de la mesa, salvo que yo comiese. Yo pensé que él ternía a bien de comer de nuestras viandas; mandé luego traerle cosas que él comiese. Y, cuando entró debajo del castillo, hizo señas con la mano que todos los suyos quedasen fuera, y así lo hicieron con la mayor priesa y acatamiento del mundo, y se asentaron todos en la cubierta, salvo dos hombres de una edad madura, que yo estimé por sus consejeros y ayo, que vinieron y se asentaron a sus pies, y de las viandas que yo le puse delante tomaba de cada una tanto como se toma para hacer la salva, y después luego lo demás enviábalo a los suyos, y todos comían de ella; y así hizo en el beber, que solamente llegaba a la boca y después así lo daba a los otros, y todo con un estado maravilloso y muy pocas palabras. y aquellas que él decía, según yo

podía entender, eran muy asentadas y de seso, y
aquellos dos le miraban a la boca y hablaban por
él y con él y con mucho acatamiento. Después de
comido, un escudero traía un cinto, que es propio
como los de Castilla en la hechura, salvo que es de
otra obra, que él tomó y me lo dio, y dos pedazos
de oro labrado que eran muy delgados, que creo que
aquí alcanzan poco de él, puesto que tengo que están
muy vecinos de donde nace y hay mucho. Yo vide
que le agradaba un arambel que yo tenía sobre mi
cama; yo se lo di y unas cuentas muy buenas de
ámbar que yo traía al pescuezo y unos zapatos colorados y una almatraja de agua de azahar, de que
quedó tan contento que fue maravilla; y él y su
ayo y consejeros llevan grande pesar porque no me
entendían ni yo a ellos. Con todo, le cognocí que me
dijo que si me cumpliese algo de aquí, que toda la
isla estaba a mi mandar. Yo envié por unas cuentas mías adonde por un señal tengo un excelente
de oro en que están esculpidos Vuestras Altezas y
se lo amostré y le dije otra vez como ayer que Vuestras Altezas mandaban y señoreaban todo lo mejor
del mundo y que no había tan grandes príncipes;
y le mostré las banderas reales y las otras de la Cruz,
de que él tuvo en mucho; y que grandes señores
serían Vuestras Altezas, decía él contra sus consejeros, pues de tan lejos y del cielo me habían enviado hasta aquí sin miedo. Y otras cosas muchas se
pasaron que yo no entendía, salvo que bien vía que
todo tenía a grande maravilla». Después que ya fue
tarde y él se quiso ir, el Almirante le envió en la
barca muy honradamente y hizo tirar muchas lombardas, y, puesto en tierra, subió en sus andas y
se fue con sus más de doscientos hombres; y a su
hijo le llevaban atrás en los hombros de un indio,
hombre muy honrado. A todos los marineros y gente
de los navíos donde quiera que los topaba les mandaba dar de comer y hacer mucha honra. Dijo un
marinero que le había topado en el camino y visto,
que todas las cosas que le había dado el Almirante
y cada una de ellas llevaba delante del rey un hombre, a lo que parecía de los más honrados. Iba su
hijo atrás del rey buen rato, con tanta compañía de

gente como él, y otro tanto un hermano del mismo rey, salvo que iba el hermano a pie y llevábanlo del brazo dos hombres honrados. Éste vino a la nao después del rey, al cual dio el Almirante algunas cosas de los dichos resgates, y allí supo el Almirante que al rey llamaban en su lengua *cacique*. En este día se resgató diz que poco oro; pero supo el Almirante, de un hombre viejo, que había muchas islas comarcanas a cien leguas y más, según pudo entender, en las cuales nace muy mucho oro, y en las otras, hasta decirle que había isla que era todo oro, y en las otras que hay tanta cantidad que lo cogen y ciernen como con cedazos y lo funden y hacen vergas y mil labores: figuran por señas la hechura. Este viejo señaló al Almirante la derrota y el paraje donde estaba; determinóse el Almirante de ir allá, y dijo que, si no fuera el dicho viejo tan principal persona de aquel rey, que lo detuviera y llevara consigo, o si supiera la lengua que se lo rogara, y creía, según estaba bien con él y con los cristianos, que se fuera con él de buena gana. Pero, porque tenía ya aquellas gentes por de los Reyes de Castilla y no era razón de hacelles agravio, acordó de dejallo. Puso una cruz muy poderosa enmedio de la plaza de aquella población, a lo cual ayudaron los indios mucho, y hicieron diz que oración y la adoraron, y, por la muestra que dan espera en Nuestro Señor el Almirante que todas aquellas islas han de ser cristianas.

Miércoles 19 de diciembre.—Esta noche se hizo a la vela por salir de aquel golfo que hace allí la isla de la Tortuga con la Española, y siendo de día tornó el viento Levante, con el cual todo este día no pudo salir de entre aquellas dos islas, y a la noche no pudo tomar un puerto que por allí parecía. Vido por allí cuatro cabos de tierra y una grande bahía y río, y de allí vido una angla muy grande y tenía una población, y a las espaldas un valle entre muchas montañas altísimas, llenas de árboles, que juzgó ser pinos, y sobre los dos Hermanos hay una montaña muy alta y gorda que va de Norte al Sudueste, y del cabo de Torres al Lesueste está una isla pequeña, a la cual puso nombre *Santo Tomás,* porque es mañana su vigilia. Todo el cerco de aquella isla tiene cabos y puertos maravillosos, según juzgaba él desde la mar. Antes de la isla de la parte del Oueste hay un cabo que entra mucho en la mar alto y bajo, y por eso le puso nombre *Cabo Alto y Bajo.* Del camino de Torres al Leste cuarta del Sueste hay sesenta millas hasta una montaña más alta que otra que entra en la mar, y parece desde lejos isla por sí por un degollado que tiene de la parte de tierra; púsole nombre *Monte Caribata,* porque aquella provincia se llamaba Caribata. Es muy hermoso y lleno de árboles verdes y claros, sin nieve y sin niebla, y era entonces por allí el tiempo, cuanto a los aires y templanza, como por marzo en Castilla, y en cuanto a los árboles y hierbas como por mayo; las noches diz que eran de catorce horas.

Jueves 20 de diciembre.—Hoy, al poner el sol, entró en un puerto que estaba entre la isla de Santo Tomás y el Cabo de Caribata, y surgió. Este puerto es hermosísimo y que cabían en él cuantas naos hay en cristianos: la entrada en él parece desde la mar imposible a los que no hobiesen en él entrado, por unas restringas de peñas que pasan desde el monte hasta cuasi la isla, y no puestas por orden, sino unas acá y otras acullá, unas a la mar y otras a la tierra; por lo cual es menester estar despiertos para entrar por unas entradas que tienen muy anchas y buenas para entrar sin temor, y todo muy fondo de siete brazas, y pasadas las restringas dentro hay doce brazas. Puede la nao estar con una cuerda cualquiera amarrada contra cualesquiera vientos que haya. A la entrada de este puerto diz que había un cañal, que queda a la parte del Oueste de una isleta de arena, y en ella muchos árboles, y hasta el pie de ella hay siete brazas; pero hay muchas bajas en aquella comarca, y conviene abrir el ojo hasta entrar en el puerto; después no hayan miedo a toda la tormenta del mundo. De aquel puerto se parecía un valle grandísimo y todo labrado, que desciende a él del Sueste, todo cercado de montañas altísimas que parece que llegan al cielo, y hermosísimas, llenas de árboles verdes, y sin duda que hay allí montañas más altas que la isla de Tenerife en Canaria, que es tenida por de las más altas que puede hallarse. De esta parte de la isla de Santo Tomás está otra isleta a una legua, y dentro de ella otra, y en todas hay puertos maravillosos; mas cumple mirar por las bajas. Vido también poblaciones y ahumadas que se hacían.

Viernes 21 de diciembre.—Hoy fue con las barcas de los navíos a ver aquel puerto; el cual vido ser tal que afirmó que ninguno se le iguala de cuantos haya jamás visto, y excúsase diciendo que ha loado los pasados tanto que no sabe cómo lo encarecer, y que teme que sea juzgado por manificador excesivo más de lo que es verdad. A esto satisface diciendo: que él trae consigo marineros antiguos, y éstos dicen y dirán lo mismo, y todos cuantos andan en la mar; conviene a saber, todas las alabanzas que ha dicho de los puertos pasados ser verdad, y ser éste muy mejor que todos ser asimismo verdad. Dice más de esta manera: «Yo he andado veintitrés años en la mar, sin salir de ella tiempo que se haya de contar, y vi todo el Levante y Poniente, que hice por ir al camino de Septentrión, que es Inglaterra, y he andado la Guinea, mas en todas estas partidas no se hallaría la perfección de los puertos *
fallado siempre lo **   mejor que el otro, que yo con buen tiento miraba mi escrebir, y torno a decir que afirmo haber bien escripto, y que agora éste es sobre todos y cabrían en él todas las naos del mundo, y cerrado que con una cuerda la más vieja de la nao la tuviese amarrada.» Desde la entrada hasta el fondo habrá cinco leguas. Vido unas tierras muy labradas, aunque todas son así, y mandó salir dos hombres fuera de las barcas que fuesen a un alto para que viesen si había población, porque de la mar no se vía ninguna; puesto que aquella noche, cerca de las diez horas, vinieron a la nao en una canoa ciertos indios a ver al Almirante y a los cristianos por maravilla, y les dio de los resgates, con

---

* Vacío de una línea en el texto original.
** Vacío en el texto original.

que se holgaron mucho. Los dos cristianos volvieron
y dijeron dónde habían visto una población grande,
un poco desviada de la mar. Mandó el Almirante
remar hacia la parte donde la población estaba
hasta llegar cerca de tierra, y vio unos indios que
venían a la orilla de la mar, y parecía que venían
con temor, por lo cual mandó detener las barcas y
que les hablasen los indios que traía en la nao, que
no les haría mal alguno. Entonces se allegaron más
a la mar, y el Almirante más a tierra; y después
que del todo perdieron el miedo, venían tantos que
cobrían la tierra, dando mil gracias, así hombres
como mujeres y niños; los unos corrían de acá y los
otros de allá a nos traer pan que hacen de niames,
a que ellos llaman ajes, que es muy blanco y bueno,
y nos traían agua en calabazas y en cántaros de
barro de la hechura de las de Castilla, y nos traían
cuanto en el mundo tenían y sabían que el Almirante
quería, y todo con un corazón tan largo y tan contento que era maravilla; «y no se diga que porque
lo que daban valía poco por eso lo daban liberalmente —dice el Almirante—, porque lo mismo hacían y tan liberalmente los que daban pedazos de
oro como los que daban la calabaza de agua; y
fácil cosa es de cognocer —dice el Almirante— cuándo se da una cosa con muy deseoso corazón de dar».
Estas son sus palabras: «Esta gente no tiene varas
ni azagayas ni otras ningunas armas, ni los otros de
toda esta isla, y tengo que es grandísima: son así
desnudos como su madre los parió, así mujeres como
hombres, que en las otras tierras de la Juana y las
otras de las otras islas traían las mujeres delante de
sí unas cosas de algodón con que cobijan su natura,
tanto como una bragueta de calzas de hombre, en
especial después que pasan de edad de doce años,
mas aquí ni moza ni vieja; y en los otros lugares todos los hombres hacían esconder sus mujeres
de los cristianos por celos, mas allí no, y hay muy
lindos cuerpos de mujeres, y ellas las primeras que
venían a dar gracias al cielo y traer cuanto tenían,
en especial cosas de comer, pan de ajes y gonza ave-
llanada y de cinco o seis maneras frutas», de las
cuales mandó curar el Almirante para traer a los

Reyes. No menos diz que hacían las mujeres en las otras partes antes que se ascondiesen, y el Almirante mandaba en todas partes estar todos los suyos sobre aviso que no enojasen a alguno en cosa ninguna y que nada les tomasen contra su voluntad, y así les pagaban todo lo que ellos recibían. Finalmente —dice el Almirante— que no puede creer que hombre haya visto gente de tan buenos corazones y francos para dar y tan temerosos que ellos se deshacían todos por dar a los cristianos cuanto tenían, y en llegando los cristianos luego corrían a traerlo todo. Después envió el Almirante seis cristianos a la población para que la viesen qué era, a los cuales hicieron cuanta honra podían y sabían y les daban cuanto tenía, porque ninguna duda les queda sino que creían el Almirante y toda su gente haber venido del cielo: lo mismo creían los indios que consigo el Almirante traía de las otras islas, puesto que ya se les había dicho lo que debían de tener. Después de haber ido los seis cristianos, vinieron ciertas canoas con gente a rogar al Almirante, de parte de un señor, que fuese a su pueblo cuando allí se partiese. Canoa es una barca en que navegan, y son dellas grandes y dellas pequeñas. Y visto que el pueblo de aquel señor estaba en el camino sobre una punta de tierra, esperando con mucha gente al Almirante, fue allá, y antes que se partiese vino a la playa tanta gente que era espanto, hombres y mujeres y niños, dando voces que no se fuese sino que se quedase con ellos. Los mensajeros del otro señor que había venido a convidar, estaban aguardando con sus canoas porque no se fuese sin ir a ver al señor, y así lo hizo, y, en llegando que llegó el Almirante adonde aquel señor le estaba esperando, y tenían muchas cosas de comer, mandó asentar toda su gente; manda que lleven lo que tenían de comer a las barcas donde estaba el Almirante, junto a la orilla de la mar. Y como vido que el Almirante había recebido lo que le habían llevado, todos o los más de los indios dieron a correr al pueblo, que debía estar cerca, para traerle más comida y papagayos y otras cosas de lo que tenían, con tan franco corazón que era maravilla. El Almirante les dio cuentas de vidrio y sortijas de latón y cascabeles, no porque ellos demandasen algo, sino porque le parecía que era razón, y sobre todo —dice el Almirante— porque los tiene ya por cristianos y por de los Reyes de Castilla más que las gentes de Castilla; y dice que otra cosa no falta, salvo saber la lengua y mandarles, porque todo lo que se les mandare harán sin contradicción alguna. Partióse de allí el Almirante para los navíos, y los indios daban voces, así hombres como mujeres y niños, que no se fuesen y se quedasen con ellos los cristianos. Después que se partían venían tras ellos a la nao canoas llenas de ellos, a los cuales hizo hacer mucha honra y dalles de comer y otras cosas que llevaron. Había también venido antes otro señor de la parte del Oueste, y aun a nado venían muy mucha gente, y estaba la nao más de grande media legua de tierra. El señor que dije se había tornado, envióle ciertas personas para que le viesen y le preguntasen de estas islas; e los recibió muy bien, y los llevó consigo a su pueblo para dalles ciertos pedazos grandes de oro, y llegaron a un gran río, el cual los indios pasaron a nado: los cristianos no pudieron y así se tornaron. En toda esta comarca hay montañas altísimas que parecen llegar al cielo, que la de la isla de Tenerife parece nada en comparación de ellas en altura y en hermosura, y todas son verdes, llenas de arboledas que es una cosa de maravilla. Entre medio de ellas hay vegas muy graciosas, y al pie de este puerto al Sur hay una vega tan grande que los ojos no pueden llegar con la vista al cabo, sin que tenga impedimento de montaña, que parece que debe tener quince o veinte leguas, por la cual viene un río, y es toda poblada y labrada y está tan verde agora como si fuera en Castilla por mayo o por junio, puesto que las noches tienen catorce horas y sea la tierra tanto septentrional. Así, este puerto es muy bueno para todos los vientos que puedan ventar, cerrado y hondo y todo poblado de gente muy buena y mansa y sin armas buenas ni malas, y puede cualquiera navío estar sin miedo en él que otros navíos que vengan de noche a le saltear, porque, puesto que la boca sea bien ancha de más de dos

leguas, es muy cerrada de dos restringas de piedra
que escasamente la ven sobre agua, salvo una entrada muy angosta en esta restringa, que no parece
sino que fue hecho a mano y que dejaron una
puerta abierta cuanto los navíos puedan entrar. En
la boca hay siete brazas de hondo hasta el pie de una
isleta llana que tiene una playa y árboles al pie de
ella; de la parte del Oueste tiene la entrada y se
puede llegar una nao sin miedo hasta poner el bordo
junto a la peña. Hay de la parte del Norueste tres
islas y un gran río a una legua del cabo de este
puerto; es el mejor del mundo; púsole nombre el
Puerto de la Mar de Santo Tomás, porque era hoy
su día: díjole mar por su grandeza.

Sábado 22 de diciembre.—En amaneciendo, dio las
velas para ir su camino a buscar las islas que los
indios le decían que tenían mucho oro y de algunas
que tenían más oro que tierra; no le hizo tiempo
y hobo de tornar a surgir, y envió la barca a pescar
con la red. El señor de aquella tierra, que tenía un
lugar cerca de allí, le envió una grande canoa llena
de gente y en ella un principal criado suyo a rogar
al Almirante que fuese con los navíos a su tierra y
que le daría cuanto tuviese. Envióle con aquél un
cinto que, en lugar de bolsa, traía una carátula que
tenía dos orejas grandes de oro de martillo y la
lengua y la nariz. Y, como sea esta gente de muy
franco corazón que cuanto le piden dan con la mejor
voluntad del mundo, les parece que pidiéndoles algo
les hacen grande merced: esto dice el Almirante.
Toparon la barca y dieron el cinto a un grumete, y
vinieron con su canoa a bordo de la nao con su
embajada. Primero que los entendiese, pasó alguna
parte del día; ni los indios que él traía los entendían bien, porque tienen alguna diversidad de vo-
cablos en nombres de las cosas. En fin, acabó de
entender por señas su convite. El cual determinó
de partir el domingo para allá, aunque no solía
partir de puerto en domingo, sólo por su devoción
y no por superstición alguna; pero con esperanza,
dice él, que aquellos pueblos han de ser cristianos
por la voluntad que muestran y de los Reyes de

Castilla, y porque los tiene ya por suyos y porque le sirvan con amor, les quiere y trabaja hacer todo placer. Antes que partiese hoy envió seis hombres a una población muy grande, tres leguas de allí de la parte del Oueste, porque el señor de ella vino el día pasado al Almirante y dijo que tenía ciertos pedazos de oro. En llegando allá los cristianos, tomó el señor de la mano al escribano del Almirante, que era uno de ellos, el cual enviaba el Almirante para que no consintiese hacer a los demás cosa indebida a los indios, porque como fuesen tan francos los indios y los españoles tan codiciosos y desmedidos, que no les basta que por un cabo de agujeta y aun por un pedazo de vidrio y de escudilla y por otras cosas de no nada les daban los indios cuanto querían; pero, aunque sin dalles algo se lo querrían todo haber y tomar, lo que el Almirante siempre prohibía, y aunque también eran muchas cosas de poco valor, si no era el oro, las que daban a los cristianos; pero el Almirante, mirando al franco corazón de los indios, que por seis contezuelas de vidrio darían y daban un pedazo de oro, por eso mandaba que ninguna cosa se recibiese de ellos que no se les diese algo en pago. Así que tomó por la mano el señor al escribano y lo llevó a su casa con todo el pueblo, que era muy grande, que le acompañaba, y les hizo dar de comer, y todos los indios les traían muchas cosas de algodón labradas y en ovillos hilado. Después que fue tarde, dioles tres ánsares muy gordas el señor y unos pedacitos de oro, y vinieron con ellos mucho número de gente y les traían todas las cosas que allá habían resgatado, y a ellos mismos porfiaban de traellos a cuestas, y de hecho lo hicieron por algunos ríos y por algunos lugares lodosos. El Almirante mandó dar al señor algunas cosas, y quedó él y toda su gente con gran contentamiento, creyendo verdaderamente que había venido del cielo, y en ver los cristianos se tenían por bienaventurados. Vinieron este día más de ciento y veinte canoas a los navíos, todas cargadas de gente, y todos traen algo, especialmente de su pan y pescado y agua en cantarillos de barro y simientes de muchas simientes que son buenas es-

pecias: echaban un grano en una escudilla de agua
y bébenla, y decían los indios que consigo traía el
Almirante que era cosa sanísima.

Domingo 23 de diciembre.—No pudo partir con
los navíos a la tierra de aquel señor que lo había
enviado a rogar y convidar, por falta de viento;
pero envió, con los tres mensajeros que allí espera-
ban, las barcas con gente y al escribano. Entretanto que aquéllos iban, envió dos de los indios que
consigo traía a las poblaciones que estaban por allí
cerca del paraje de los navíos, y volvieron con un
señor a la nao con nuevas que en aquella isla Española había gran cantidad de oro y que a ella lo
venían a comprar de otras partes, y dijéronle que
allí hallaría cuanto quisiese. Vinieron otros que con-
firmaban haber en ella mucho oro, y mostrábanle la
manera que se tenía en cogello. Todo aquello entendía el Almirante con pena; pero todavía tenía
por cierto que en aquellas partes había grandísima
cantidad de ello y que, hallando el lugar donde se
saca, habrá gran barato de ello, y según imaginaba
que no por nada. Y torna a decir que cree que
debe haber mucho, porque en tres días que había
que estaba en aquel puerto había habido buenos
pedazos de oro, y no puede creer que allí lo trai-
gan de otra tierra. «Nuestro Señor, que tiene en
las manos todas las cosas, vea de me remediar y
dar como fuere su servicio», éstas son palabras
del Almirante. Dice que aquella hora cree haber
venido a la nao más de mil personas y que todas
traían algo de lo que poseen; y antes que lleguen
a la nao, con medio tiro de ballesta, se levantan en sus canoas en pie y toman en las manos
lo que traen diciendo: «Tomad, tomad.» También
cree que más de quinientos vinieron a la nao nadando por no tener canoas, y estaba surta cerca de
una legua de tierra. Juzgaba que habían venido cinco señores, hijos de señores, con toda su casa, mujeres y niños, a ver los cristianos. A todos mandaba
dar el Almirante, porque todo diz que era bien empleado, y dice: «Nuestro Señor me aderece, por su
piedad, que halle este oro, digo su mina, que hartos

tengo aquí que dicen que la saben», éstas son sus palabras. En la noche llegaron las barcas, y dijeron que había gran camino hasta donde venían, y que al monte de Caribatan hallaron muchas canoas con muy mucha gente que venían a ver al Almirante y a los cristianos del lugar donde ellos iban. Y tenía por cierto que si aquella fiesta de Navidad pudiera estar en aquel puerto, viniera toda la gente de aquella isla, que estimaba ya por mayor que Inglaterra, por verlos; los cuales se volvieron todos con los cristianos a la población, la cual diz que afirmaban ser la mayor y la más concertada de calles que otras de las pasadas y halladas hasta allí, la cual diz que es de parte de la Punta Santa, al Sueste cuasi tres leguas. Y como las canoas andan mucho de remos, fuéronse delante a hacer saber al cacique, que ellos llamaban allí. Hasta entonces no había podido entender el Almirante si lo dicen por rey o por gobernador. También dicen otro nombre por grande que llaman *nitayno*; no sabía si lo decían por hidalgo o gobernador o juez. Finalmente, el cacique vino a ellos y se ayuntaron en la plaza, que estaba muy barrida, todo el pueblo, que había más de dos mil hombres. Este rey hizo mucha honra a la gente de los navíos, y los populares cada uno les traía algo de comer y de beber. Después el rey dio a cada uno unos paños de algodón que visten las mujeres, y papagayos para el Almirante y ciertos pedazos de oro: daban también los populares de los mismos paños y otras cosas de sus casas a los marineros, por pequeña cosa que les daban, la cual, según la recibían, parecía que la estimaban por reliquias. Ya a la tarde, queriendo despedir, el rey les rogaba que aguardasen hasta otro día; lo mismo todo el pueblo. Visto que determinaban su venida, vinieron con ellos mucho del camino, trayéndoles a cuestas lo que el cacique y los otros les habían dado hasta las barcas, que quedaban a la entrada del río.

Lunes 24 de diciembre.—Antes de salido el sol, levantó las anclas con el viento terral. Entre los muchos indios que ayer habían venido a la nao, que les habían dado señales de haber en aquella isla oro y nombrado los lugares donde lo cogían, vido uno parece que más dispuesto y aficionado o que con más alegría le hablaba, y halagólo rogándole que se fuese con él a mostralle las minas del oro. Este trujo otro compañero o pariente consigo, los cuales, entre los otros lugares que nombraban donde se cogía el oro dijeron de Cipango, al cual ellos llaman *Civao*, y allí afirman que hay gran cantidad de oro, y que el cacique trae las banderas de oro de martillo, salvo que está muy lejos al Leste. El Almirante dice aquí estas palabras a los Reyes: «Crean Vuestras Altezas que en el mundo todo no puede haber mejor gente, ni más mansa. Deben tomar Vuestras Altezas grande alegría porque luego los harán cristianos y los habrán enseñado en buenas costumbres de sus reinos, que más mejor gente ni tierra puede ser, y la gente y la tierra en tanta cantidad que yo no sé ya cómo lo escriba; porque yo he hablado en superlativo grado la gente y la tierra de la Juana, a que ellos llaman *Cuba*; mas hay tanta diferencia de ellos y de ella a ésta en todo como del día a la noche, ni creo que otro ninguno que esto hobiere visto hobiese hecho ni dijese menos de lo que yo tengo dicho, y digo que es verdad que es maravilla las cosas de acá y los pueblos grandes de esta isla Española, que así la llamé y ellos le llaman *Bohío*, y todos de muy singularísimo tracto amoroso y habla dulce, no como los otros que parece cuando hablan que amenazan, y de buena estatura hombres y mujeres, y no negros. Verdad es que todos se tiñen, algunos de negro y otros de otra color, y los más de colorado. He sabido que lo hacen por el sol, que no les haga tanto mal, y las casas y lugares tan hermosos, y con señorío en todos como juez o señor de ellos, y todos le obedecen que es maravilla, y todos estos señores son de pocas palabras y muy lindas costumbres, y su mando es lo más con hacer señas con la mano, y luego es entendido que es maravilla.» Todas son palabras del Almirante.

Quien hobiere de entrar en la mar de Santo Tomé, se debe meter una buena legua sobre la boca de la entrada sobre una isleta llana que en el medio hay, que le puso nombre *la Amiga*, llevando la proa en ella. Y después que llegare a ella con el ot.º * de una piedra, pase de la parte de Oueste y quédele ella al Leste, y se llegue a ella y no a la otra parte, porque viene una restringa muy grande del Oueste, e aun en la mar fuera de ella hay unas tres bajas, y esta restringa se llega a la Amiga un tiro de lombarda, y entremedias pasará y hallará a lo más bajo siete brazas y cascajos abajo, y dentro hallará puerto para todas las naos del mundo y que estén sin amarras. Otra restringa y bajas vienen de la parte del Leste a la dicha isla Amiga, y son muy grandes y salen en la mar mucho y llega hasta el cabo cuasi dos leguas; pero entre ellas pareció que había entrada a tiro de dos lombardas de la Amiga, y al pie del Monte Garibatan de la parte del Oueste hay un muy buen puerto y muy grande.

Martes 25 de diciembre, día de Navidad.—Navegando con poco viento el día de ayer desde la mar de Santo Tomé hasta la Punta Santa, sobre la cual a una legua estuvo así hasta pasado el primer cuarto, que serían a las once horas de la noche, acordó echarse a dormir, porque había dos días y una noche que no había dormido. Como fuese calma, el marinero que gobernaba la nao acordó irse a dormir, y dejó el gobernario a un mozo grumete, lo que mucho siempre había el Almirante prohibido en todo el viaje, que hobiese viento o que hobiese calma: conviene a saber, que no dejasen gobernar a los grumetes. El Almirante estaba seguro de bancos y de peñas, porque el domingo, cuando envió las barcas a aquel rey, habían pasado al Leste de la dicha Punta Santa bien tres leguas y media, y habían visto los marineros toda la costa y los bajos que hay desde la dicha Punta Santa al Leste bien tres leguas, y vieron por dónde se podía pasar, lo que todo este viaje no hizo. Quiso Nuestro Señor que a las doce horas de la noche, como habían visto acostar y reposar el Almirante y vían que era calma muerta y la mar como en una escudilla, todos se acostaron a dormir, y quedó el gobernalle en la mano de

---

* Así en el texto original; abreviatura ininteligible.

aquel muchacho, y las aguas que corrían llevaron la nao sobre uno de aquellos bancos. Los cuales, puesto que fuese de noche, sonaban que de una grande legua se oyeran y vieran, y fue sobre él tan mansamente que casi no se sentía. El mozo, que sintió el gobernalle y oyó el sonido de la mar, dio voces, a las cuales salió el Almirante y fue tan presto que aún ninguno había sentido que estuviesen encallados. Luego el maestre de la nao cuya era la guardia, salió; y díjoles el Almirante a él y a los otros que halasen el batel que traían por popa y tomasen un ancla y la echasen por popa, y él con otros muchos saltaron en el batel, y pensaba el Almirante que hacían lo que les había mandado. Ellos no curaron sino de huir a la carabela que estaba a barlovento media legua. La carabela no los quiso recebir haciéndolo virtuosamente, y por esto volvieron a la nao; pero primero fue a ella la barca de la carabela. Cuando el Almirante vido que se huían y que era su gente, y las aguas menguaban y estaba ya la nao la mar de través, no viendo otro remedio, mandó cortar el mástel y alijar de la nao todo cuanto pudieron para ver si podían sacarla; y como todavía las aguas menguasen no se pudo remediar, y tomó lado hacia la mar traviesa, puesto que la mar era poco o nada, y entonces se abrieron los conventos y no la nao. El Almirante fue a la carabela para poner en cobro la gente de la nao en la carabela, y, como ventase ya ventecillo de la tierra y también aún quedaba mucho de la noche, ni supiesen cuánto duraban los bancos, temporejó a la corda hasta que fue de día, y luego fue a la nao por de dentro de la restringa del banco. Primero había enviado el batel a tierra con Diego de Arana, de Córdoba, alguacil del Armada, y Pedro Gutiérrez, repostero de la Casa Real, a hacer saber al rey que lo había enviado a convidar y rogar el sábado que se fuese con los navíos a su puerto, el cual tenía su villa adelante obra de una legua y media del dicho banco; el cual como lo supo dicen que lloró, y envió toda su gente de la villa con canoas muy grandes y muchas a descargar todo lo de la nao. Y así se hizo y se descargó todo lo de las cubiertas en muy breve espacio: tanto fue el grande aviamiento y diligencia que aquel rey dio. Y él con su persona, con hermanos y parientes, estaban poniendo diligencia así en la nao como en la guarda de lo que se sacaba a tierra, para que todo estuviese a muy buen recaudo. De cuando en cuando enviaba uno de sus parientes al Almirante llorando a lo consolar, diciendo que no recibiese pena ni enojo, que él le daría cuanto tuviese. Certifica el Almirante a los Reyes que en ninguna parte de Castilla tan buen recaudo en todas las cosas se pudiera poner sin faltar un agujeta. Mandólo poner todo junto con las casas entretanto que se vaciaban algunas cosas que quería dar, donde se pusiese y guardase todo. Mandó poner hombres armados en rededor de todo, que velasen toda la noche. «Él con todo el pueblo lloraban tanto —dice el Almirante—, son gente de amor y sin codicia y convenibles para toda cosa, que certifico a Vuestras Altezas que en el mundo creo que no hay mejor gente ni mejor tierra: ellos aman a sus prójimos como a sí mismos, y tienen una habla la más dulce del mundo y mansa, y siempre con risa. Ellos andan desnudos, hombres y mujeres, como sus madres los parieron. Mas, crean Vuestras Altezas que entre sí tienen costumbres muy buenas, y el rey muy maravilloso estado, de una cierta manera tan continente que es placer de verlo todo, y la memoria que tienen, y todo quieren ver, y preguntan qué es y para qué». Todo esto dice el Almirante.

Miércoles 26 de diciembre.—Hoy, a salir del sol, vino el rey de aquella tierra que estaba en aquel lugar a la carabela *Niña*, donde estaba el Almirante, y cuasi llorando le dijo que no tuviese pena, que él le daría cuanto tenía, y que había dado a los cristianos que estaban en tierra dos muy grandes casas, y que más les daría si fuesen menester y cuantas canoas pidiesen cargar y descargar la nao y poner en tierra cuanta gente quisiese; y que así lo había hecho ayer, sin que se tomasen una migaja de pan ni otra cosa alguna; tanto —dice el Almirante— son fieles y sin cudicia de lo ajeno, y así era sobre todos aquel rey virtuoso. En tanto que el Almirante

estaba hablando con él, vino otra canoa de otro lugar
que traía ciertos pedazos de oro, los cuales quería
dar por un cascabel, porque otra cosa tanto no deseaban como cascabeles. Que aún no llega la canoa
a bordo cuando llamaban y mostraban los pedazos
de oro, diciendo *chuq chuq* por cascabeles, que están en puntos de se tornar locos por ellos. Después
de haber visto esto, y partiéndose estas canoas que
eran de los otros lugares, llamaron al Almirante y
le rogaron que les mandase guardar un cascabel
hasta otro día, porque él traería cuatro pedazos de
oro tan grandes como la mano. Holgó el Almirante
de oír esto, y después un marinero que venía de
tierra dijo al Almirante que era cosa de maravilla
las piezas de oro que los cristianos que estaban en
tierra resgataban por no nada; por una agujeta daban pedazos que serían más de dos castellanos, y
que entonces no era nada al respecto de lo que sería dende a un mes. El rey se holgó mucho con ver
al Almirante alegre, y entendió que deseaba mucho
oro, y díjole por señas que él sabía cerca de allí
adonde había de ello muy mucho en grande suma
y que estuviese de buen corazón, que él daría cuanto oro quisiese, y de ello diz que le daba razón, y en
especial que lo había en Cipango, a que ellos llamaban *Civao*, en tanto grado que ellos no le tienen en
nada, y que él lo traería allí, aunque también en
aquella isla Española, a quien llaman *Bohío*, y en
aquella provincia Caribata lo había mucho más. El
rey comió en la carabela con el Almirante, y después salió con él en tierra, donde hizo al Almirante
mucha honra y le dio colación de dos o tres maneras
de ajes y con camarones y caza y otras viandas que
ellos tenían, y de su pan que llamaban *cazavi*, donde lo llevó a ver unas verduras de árboles junto a
las casas, y andaban con él bien mil personas, todos
desnudos. El señor ya traía camisa y guantes que
el Almirante le había dado, y por los guantes hizo
mayor fiesta que por cosa de las que le dio. En su
comer, con su honestidad y hermosa manera de lim-
pieza, se mostraba bien ser de linaje. Después de haber comido, que tardó buen rato estar a la mesa,
trujeron ciertas hierbas con que se fregó mucho las

manos: creyó el Almirante que lo hacía para ablandarlas, y diéronle aguamanos. Después que acabaron de comer, llevó a la playa al Almirante, y el Almirante envió por un arco turquesco y un manojo de flechas, y el Almirante hizo tirar a un hombre de su compañía, que sabía de ello; y el señor, como no sepa qué sean armas, porque no las tienen ni las usan, le pareció gran cosa; aunque diz que el comienzo fue sobre habla de los de Caniba, que ellos llaman *caribes*, que los vienen a tomar, y traen arcos y flechas sin hierro, que todas aquellas tierras no había memoria de él y de acero ni de otro metal, salvo de oro y de cobre, aunque cobre no había visto sino poco el Almirante. El Almirante le dijo por señas que los Reyes de Castilla mandarían destruir a los caribes y que a todos se los mandarían traer las manos atadas. Mandó el Almirante tirar una lombarda y una espingarda, y viendo el efecto que su fuerza hacían y lo que penetraban, quedó maravillado. Y cuando su gente oyó los tiros cayeron todos en tierra. Trujeron al Almirante una gran carátula que tenía grandes pedazos de oro en las orejas y en los ojos y en otras partes, la cual le dio con otras joyas de oro que el mismo rey había puesto al Almirante en la cabeza y al pescuezo; y a otros cristianos que con él estaban dio también muchas. El Almirante recibió mucho placer y consolación de estas cosas que vía, y se le templó el angustia y pena que había recibido y tenía de la pérdida de la nao, y conoció que Nuestro Señor había hecho encallar allí la nao porque hiciese allí asiento. «Y a esto (dice él), vinieron tantas cosas a la mano, que verdaderamente no fue aquél desastre, salvo gran ventura. Porque es cierto (dice él) que si yo no encallara, que yo fuera de largo sin surgir en este lugar, porque él está metido acá dentro en una grande bahía y en ella dos o tres restringas de bajas. Ni este viaje dejara aquí gente, ni aunque yo quisiera dejarla no les pudiera dar tan buen aviamento ni tantos pertrechos ni tantos mantenimientos ni aderezos para fortaleza. Y bien es verdad que mucha gente de esta que va aquí me habían rogado y hecho rogar que les quisiera dar licencia para quedarse. Agora tengo ordenado de hacer una torre y fortaleza, todo muy bien, y una grande cava, no porque crea que haya esto menester por esta gente, porque tengo dicho que con esta gente que yo traigo sojuzgaría toda esta isla, la cual creo que es mayor que Portugal, y más gente al doblo; mas son desnudos y sin armas y muy cobardes fuera de remedio. Mas es razón que se haga esta torre y se esté como se ha de estar, estando tan lejos de Vuestras Altezas, y porque conozcan el ingenio de la gente de Vuestras Altezas y lo que pueden hacer, porque con amor y temor le obedezcan; y así terminan tablas para hacer todas las fortalezas de ellas y mantenimientos de pan y vino para más de un año y simientes para semmbrar y la barca de la nao y un calafete y un carpintero y un lombardero y un tonelero y muchos entre ellos hombres que desean mucho, por servicio de Vuestras Altezas y me hace placer, de saber de la mina adonde se coge el oro. Así que todo es venido mucho a pelo para que se faga este comienzo. Y sobre todo, que cuando encalló la nao fue tan paso que quasi no se sintió ni había ola ni viento». Todo esto dice el Almirante. Y añade más para mostrar que fue gran ventura y determinada voluntad de Dios que la nao allí encallase porque dejase allí gente, que si no fuera por la traición del maestre y de la gente, que eran todos o los más de su tierra, de no querer echar el ancla por popa para sacar la nao, como el Almirante los mandaba, la nao se salvara, y así no pudiera saberse la tierra (dice él) como se supo aquellos días que allí estuvo, y adelante por los que allí entendía dejar, porque él iba siempre con intención de descubrir y no parar en parte más de un día si no era por falta de los vientos, porque la nao diz que era muy pesada y no para el oficio de descubrir. Y llevar tal nao diz que causaron los de Palos, que no cumplieron con el Rey y la Reina lo que le habían prometido: dar navíos convenientes para aquella jornada, y no lo hicieron. Concluye el Almirante diciendo que de todo lo que en la nao había no se perdió una agujeta, ni tabla ni clavo, porque ella quedó sana como cuando partió, salvo que se cortó y rajó algo para sacar la vasija y todas las

mercaderías, y pusiéronlas todas en tierra y bien
guardadas, como está dicho; y dice que espera en
Dios que a la vuelta que él entendía hacer de Castilla, había de hallar un tonel de oro que habrían
resgatado los que había de dejar y que habrían hallado la mina del oro y la especiería, y aquello en
tanta cantidad que los Reyes antes de tres años em-
prendiesen y aderezasen para ir a conquistar la casa
santa, «que así —dice él— protesté a Vuestras Altezas que toda la ganancia de esta mi empresa se
gastase en la conquista de Jerusalén, y Vuestras
Altezas se rieron y dijeron que les placía, y que sin
esto tenían aquella gana». Palabras del Almirante.

Jueves 27 de diciembre.—En saliendo el sol, vino
a la carabela el rey de aquella tierra, y dijo al Almirante que había enviado por oro y que lo quería co-
brir todo de oro antes que se fuese, antes le rogaba
que no se fuese; y comieron con el Almirante el
rey e un hermano suyo y otro su pariente muy privado, los cuales dos le dijeron que querían ir a Castilla con él. Estando en esto, vinieron cómo lo carabela *Pinta* estaba en un río al cabo de aquella isla;
luego envió el cacique allá una canoa y en ella al
Almirante un marinero, porque amaba tanto al Almirante que era en maravilla. Ya entendía el Almirante con cuánta priesa podía por despacharse para
la vuelta de Castilla.

Viernes 28 de diciembre.—Para dar orden y priesa en el acabar de hacer la fortaleza y en la gente
que en ella había de quedar, salió el Almirante en
tierra y parecióle que el rey le había visto cuando
iba en la barca, el cual se entró presto en su casa
disimulando, y envió a un su hermano que recibiese
al Almirante y llevólo a una de las casas que tenía
dadas a la gente del Almirante, la cual era la mayor y mejor de aquella villa. En ella le tenían apare-
jado un estrado de camisas de palma, donde le hicieron asentar. Después el hermano envió un escudero suyo a decir al rey que el Almirante estaba
allí, como que el rey no sabía que era venido, puesto que el Almirante creía que lo disimulaba por

hacelle mucha más honra. Como el escudero se lo
dijo, dio el cacique diz que a correr para el Almirante, y púsole al pescuezo una gran plasta de oro
que traía en la mano. Estuvo allí con él hasta la
tarde, deliberando lo que había de hacer.

Sábado 29 de diciembre.—En saliendo el sol, vino
a la carabela un sobrino del rey muy mozo y de buen
entendimiento y buenos hígados (como dice el Almirante); y como siempre trabajase por saber a dónde
se cogía el oro, preguntaba a cada uno, porque por
señas ya entendía algo, y así aquel mancebo le dijo
que a cuatro jornadas había una isla al Leste que se
llamaba *Guarionex,* y otras que se llamaban *Mocorix,
Mayonic, Fuma, Cibao y Coroay,* en las cuales había
infinito oro, los cuales nombres escribió el Almirante y supo esto que le había dicho un hermano del
rey, e riñó con él, según el Almirante entendió. También otras veces había el Almirante entendido que
el rey trabajaba porque no entendiese dónde nacía
y se cogía el oro, porque no lo fuese a resgatar o
comprar a otra parte. Mas es tanto y en tantos lugares y en esta mesma isla Española (dice el Almirante), que es maravilla. Siendo ya de noche le envió el rey una gran carátula de oro, y envióle a pedir un bacín de aguamanos y un jarro. Creyó el
Almirante que lo pedía para mandar hacer otro, y
así se lo envió.

Domingo 30 de diciembre.—Salió el Almirante a
comer a tierra, y llegó a tiempo que habían venido
cinco reyes subjetos a aqueste que se llamaba Guacanagari, todos con sus coronas, representando muy
buen estado, que dice el Almirante a los Reyes que
Sus Altezas hubieran placer de ver la manera de
ellos. En llegando en tierra, el rey vino a recibir al
Almirante, y lo llevó de brazos a la misma casa de
ayer, a do tenía un estrado y sillas en que asentó al
Almirante; y luego se quitó la corona de la cabeza y
se la puso al Almirante, y el Almirante se quitó del
pescuezo un collar de buenos alaqueques y cuentas
muy hermosas de muy lindos colores, que parecía
muy bien en toda parte, y se lo puso a él, y se des-

nudó un capuz de fina grana, que aquel día se había vestido, y se lo vistió, y envió por unos borceguíes de color que le hizo calzar, y le puso en el dedo un grande anillo de plata, porque habían dicho que vieron una sortija de plata a un marinero y que había hecho mucho por ella. Quedó muy alegre y muy contento, y dos de aquellos reyes que estaban con él vinieron a donde el Almirante estaba con él y trujeron al Almirante dos grandes plastas de oro, cada uno la suya. Y estando así vino un indio diciendo que había dos días que dejara la carabela *Pinta* al Leste en un puerto. Tornóse el Almirante a la carabela, y Vicente Anos *, capitán de ella, afirmó que había visto ruibarbo y que lo había en la isla Amiga, que está a la entrada de la mar de Santo Tomé, que estaba seis leguas de allí, e que había cognocido los ramos y raíz. Dicen' que el ruibarbo echa unos ramitos fuera de tierra y unos frutos que parecen moras verdes cuasi secas, y el palillo que está cerca de la raíz es tan amarillo y tan fino como la mejor color que puede ser para pintar, y debajo de la tierra hace la raíz como una grande pera.

Lunes 31 de diciembre.—Aqueste día se ocupó en mandar tomar agua y leña para la partida a España por dar noticia presto a los Reyes para que enviasen navíos que descubriesen lo que quedaba por descubrir, porque ya el negocio parecía tan grande y de tanto tomo que es maravilla —dijo el Almirante—, y dice que no quisiera partirse hasta que hobiere visto toda aquella tierra que iba hacia el Leste y andarla toda por la costa, por saber también diz que el tránsito de Castilla a ella, para traer ganados y otras cosas. Mas, como hobiese quedado con un solo navío, no le parecía razonable cosa ponerse a los peligros que le pudieran ocurrir descubriendo. Y quejábase que todo aquel mal e inconveniente ** haberse apartado de la carabela *Pinta.*

Martes 1 de enero de 1493.—A media noche despachó la barca que fuese a la isleta Amiga para traer el ruibarbo. Volvió a vísperas con un serón de ello; no trujeron más porque no llevaron azada para cavar: aquello llevó por muestra a los Reyes. El rey de aquella tierra diz que había enviado muchas canoas por oro. Vino la canoa que fue a saber de la *Pinta* y el marinero y no la hallaron. Dijo aquel marinero que veinte leguas de allí habían visto un rey que traía en la cabeza dos grandes plastas de oro, y luego que los indios de la canoa le hablaron se las quitó, y vido también mucho oro a otras personas. Creyó el Almirante que el rey Guacanagari debía de haber prohibido a todos que no vendiesen oro a los cristianos, porque pasase todo por su mano. Mas él había sabido los lugares, como dije antier, donde lo había en tanta cantidad que no lo tenían en precio. También la especería que (como dice el Almirante) es mucha y más vale que pimiento y manegueta. Dejaba encomendados a los que allí quería dejar que hobiesen cuanta pudiesen.

Miércoles 2 de enero.—Salió de mañana en tierra para se despedir del rey Guacanagari e partirse en el nombre del Señor, e diole una camisa suya y mostróle la fuerza que tenían y efecto que hacían las lombardas, por lo cual mandó armar una y tirar al costado de la nao que estaba en tierra, porque vino a propósito de platicar sobre los caribes, con quien tienen guerra, y vido hasta dónde llegó la lombarda y cómo pasó el costado de la nao y fue muy lejos la piedra por la mar. Hizo hacer también un escaramuza con la gente de los navíos armada, diciendo al cacique que no hubiese miedo a los caribes aunque viniesen. Todo esto diz que hizo el Almirante porque tuviese por amigos a los cristianos que dejaba y por ponerle miedo que los temiese. Llevólo el Almirante a comer consigo a la casa donde estaba aposentado y a los otros que iban con él. Encomendóle mucho el Almirante a Diego de Arana y a Pedro Gutiérrez y a Rodrigo Escovedo, que dejaba juntamente por sus tenientes de aquella gente que allí dejaba, porque todo fuese bien regido y gobernado a servicio de Dios y de Sus Altezas. Mostró mucho amor el cacique al Almirante y gran sentimiento en su partida, mayormente cuando le vido ir a embarcarse. Dijo al Almirante un privado de aquel rey, que había mandado hacer una estatua de oro puro tan grande como el mismo Almirante y que dende a diez días la habían de traer. Embarcóse con propósito de se partir luego, mas el viento no le dio lugar.

Dejó en aquella isla Española, que los indios diz que llamaban *Bohío,* treinta y nueve hombres con la fortaleza, y diz que muchos amigos de aquel rey Guacanagari, e sobre aquellos, por sus tenientes, a Diego de Arana, natural de Córdoba, y a Pedro Gutiérrez, repostero de estrado del Rey, criado del despensero mayor, e a Rodrigo de Escovedo, natural de Segovia, sobrino de Fr. Rodrigo Pérez, con todos sus poderes que de los Reyes tenía. Dejóles todas las mercaderías que los Reyes mandaron comprar para los resgates, que eran muchas, para que las trocasen y resgatasen por oro, con todo lo que traía la nao. Dejóles también pan bizcocho para un año y vino y mucha artillería, y la barca de la nao para que ellos, como marineros que eran los más, fuesen, cuando viesen que convenía, a descubrir la mina de oro, porque a la vuelta que volviese el Almirante hallase mucho oro, y lugar donde se asentase una villa, porque aquel no era puerto a su voluntad; mayormente que el oro que allí traían venía diz que del Leste, y cuanto más fuesen al Leste tanto estaban cercanos de España. Dejóles también simientes para sembrar, y sus oficiales, escribano y alguacil, y un carpintero de naos y calafate y un buen lombardero, que sabe bien de ingenios, y un tonelero y un físico y un sastre, y todos diz que hombres de la mar.

Jueves 3 de enero.—No partió hoy porque anoche diz que vinieron tres de los indios que traía de las islas que se habían quedado, y dijéronle que los otros y sus mujeres venían al salir del sol. La mar también fue algo alterada, y no pudo la barca estar en tierra; determinó partir mañana, mediante la gracia de Dios. Dijo que si él tuviera consigo la carabela *Pinta* tuviera por cierto de llevar un tonel de

oro, porque osara seguir las costas de estas islas, lo
que no osaba hacer por ser solo, porque no le acae-
ciese algún inconveniente y se impidiese su vuelta
a Castilla y la noticia que debía dar a los Reyes de
todas las cosas que había hallado. Y si fuera cierto
que la carabela *Pinta* llegara a salvamento en España con aquel Martín Alonso Pinzón, dijo que no
dejara de hacer lo que deseaba; pero porque no
sabía de él y porque ya que vaya podrá informar a
los Reyes de mentiras porque no le manden dar la
pena que él merecía como quien tanto mal había
hecho y hacía en haberse ido sin licencia y estorbar
los bienes que pudieran hacerse y saberse de aquella vez, dice el Almirante, confiaba que Nuestro
Señor le daría buen tiempo y se podría remediar
todo.

Viernes 4 de enero.—Saliendo el sol, levantó las
anclas con poco viento con la barca por proa el camino del Norueste para salir fuera de la restringa,
por otra canal más ancha de la que entró, la cual y
otras son muy buenas para ir por delante de la Villa
de Navidad, y por todo aquello el más bajo fondo
que halló fueron tres brazas hasta nueve, y estas dos
van de Norueste al Sueste, según aquellas restringas
eran grandes que duran desde el Cabo Santo hasta
el Cabo de Sierpe, que son más de seis leguas, y
fuera en la mar bien tres y sobre el Cabo Santo bien
tres, y sobre el Cabo Santo a una legua no hay más
de ocho brazas de fondo, y dentro del dicho cabo.
de la parte del Leste, hay muchos bajos y canales
para entrar por ellos, y toda aquella costa se corre
Norueste Sueste y es toda playa, y la tierra muy
llana hasta bien cuatro leguas la tierra adentro.
Después hay montañas muy altas y es toda muy
poblada de poblaciones grandes y buena gente, según se mostraba con los cristianos. Navegó así al
Leste, camino de un monte muy alto que quiere pa:
recer isla, pero no lo es, porque tiene participación
con tierra muy baja, el cual tiene forma de un anfa-
neque muy hermoso, al cual puso nombre *Monte-
Cristi*, el cual está justamente al Leste del Cabo
Santo, y habrá diez y ocho leguas. Aquel día, por

ser el viento muy poco, no pudo llegar al Monte-Cristi con seis leguas. Halló cuatro isletas de arena muy bajas, con una restringa que salía mucho al Norueste y andaba mucho al Sueste. Dentro hay un grande golfo que va desde dicho monte al Sueste bien veinte leguas, el cual debe ser todo de poco fondo y muchos bancos, y dentro de él en toda la costa muchos ríos no navegables, aunque aquel marinero que el Almirante envió con la canoa a saber nuevas de la *Pinta*, dijo que vido un río en el cual podían entrar naos. Surgió por allí el Almirante seis leguas de Monte-Cristi en diez y nueve brazas, dando la vuelta a la mar por apartarse de muchos bajos y restringas que por allí había, donde estuvo aquella noche. Da el Almirante aviso que el que hobiere de ir a la Villa de la Navidad, que cognociere a Monte-Cristi, debe meterse en la mar dos leguas, etc.; pero porque ya se sabe la tierra y más por allí no se pone aquí. Concluye que Cipango estaba en aquella isla y que hay mucho oro y especería y almáciga y ruibarbo.

Sábado 5 de enero.—Cuando el sol quería salir, dio la vela con el terral; después ventó Leste, y vido que de la parte del Susueste del Monte-Cristi, entre él y una isleta, parecía ser buen puerto para surgir esta noche, y tomó el camino al Lesueste, y después al Sursueste bien seis leguas a cerca del monte; y halló, andadas las seis leguas, diez y siete brazas de hondo y muy limpio, y anduvo así tres leguas con el mismo fondo. Después abajó a doce brazas hasta el morro del monte, y sobre el morro del monte a una legua halló nueve, y limpio todo arena menuda. Siguió así el camino hasta que entró entre el monte y la isleta, adonde halló tres brazas y media de fondo con baja mar, muy singular puerto adonde surgió. Fue con la barca a la isleta, donde halló fuego y rastro que habían estado allí pescadores. Vido allí muchas piedras pintadas de colores, o cantera de piedras tales de labores naturales muy hermosas diz que para edificios de iglesia o de otras obras reales, como las que halló en la isleta de San Salvador. Halló también en esta isleta muchos pies de almá-

ciga. Este Monte-Cristi diz que es muy hermoso y
alto y andable, de muy linda hechura, y toda la
tierra cerca de él es baja, muy linda campiña, y él
queda así alto que viéndolo de lejos parece isla que
no comunique con alguna tierra. Después del dicho
monte, al Leste, vido un cabo a veinticuatro millas,
al cual llamó *Cabo del Becerro,* desde el cual hasta
el dicho monte pasa en la mar bien dos leguas unas
restringas de bajos, aunque le pareció que había
entre ellas canales para poder entrar; pero conviene que sea de día y vaya sondando con la barca
primero. Desde el dicho monte al Leste hacia el
Cabo del Becerro las cuatro leguas es todo playa y
tierra muy baja y hermosa, y lo otro es todo tierra
muy alta y grandes montañas labradas y hermosas,
y dentro de la tierra va una sierra de Nordeste al
Sueste, la más hermosa que había visto, que parece
propia como la sierra de Córdoba. Parecen también
muy lejos otras montañas muy altas hacia el Sur y
del Sueste y muy grandes valles y muy verdes y
muy hermosos y muy muchos ríos de agua; todo
esto en tanta cantidad apacible que no creía enca-
recerlo la milésima parte. Después vido, al Leste
de dicho monte, una tierra que parecía otro monte,
así como aquel de Cristi en grandeza y hermosura.
Y dende a la cuarta del Leste al Nordeste es tierra
no tan alta, y habría bien cien millas o cerca.

Domingo 6 de enero.—Aquel puerto es abrigado
de todos los vientos, salvo de Norte y Norueste, y
dice que poco reinan por aquella tierra, y aun de
éstos se pueden guarecer detrás de la isleta: tiene
tres hasta cuatro brazas. Salido el sol, dio la vela por
ir la costa delante, la cual toda corría al Leste, salvo
que es menester dar resguardo a muchas restringas
de piedra y arena que hay en la dicha costa. Verdad
es que dentro de ellas hay buenos puertos y buenas
entradas por sus canales. Después de medio día ventó Leste recio, y mandó sobir a un marinero al topo
del mástel para mirar los bajos, y vido venir la carabela *Pinta* con Leste a popa, y llegó al Almirante,
y porque no había donde surgir por ser bajo, vol-
vióse el Almirante al Monte-Cristi a desandar diez

leguas atrás que había andado, y la *Pinta* con él. Vino Martín Alonso Pinzón a la carabela *Niña*, donde iba el Almirante, a se excusar diciendo que se había partido de él contra su voluntad, dando razones por ello; pero el Almirante dice que eran falsas todas, y que con mucha soberbia y cudicia se había apartado aquella noche que se apartó de él, y que no sabía (dice el Almirante) de dónde le hobiesen venido las soberbias y deshonestidad que había usado con él aquel viaje, las cuales quiso el Almirante disimular por no dar lugar a las malas obras de Satanás, que deseaba impedir aquel viaje como hasta entonces había hecho, sino que por dicho de un indio de los que el Almirante le había encomendado con otros que lleva en su carabela, el cual le había dicho que en una isla que se llamaba *Baneque* había mucho oro, y como tenía el navío sotil y ligero se quiso apartar y ir por sí dejando al Almirante. Pero el Almirante quísose detener y costear la isla Juana y la Española, pues todo era un camino del Leste. Después que Martín Alonso fue a la isla Baneque diz que no halló nada de oro, y se vino a la costa de la Española por información de otros indios que le dijeron haber en aquella isla Española, que los indios llamaban *Bohío*, mucha cantidad de oro y muchas minas, y por esta causa llegó cerca de la Villa de la Navidad, obra de quince leguas, y había entonces más de veinte días; por lo cual parece que fueron verdad las nuevas que los indios daban, por las cuales envió el rey Guacanagari la canoa, y el Almirante el marinero, y debía de ser ida cuando la canoa llegó. Y dice aquí el Almirante que resgató la carabela mucho oro, que por un cabo de agujeta le daban buenos pedazos de oro del tamaño de dos dedos y a veces como la mano, y llevaba el Martín Alonso la mitad y la otra mitad se repartía por la gente. Añade el Almirante diciendo a los Reyes: «Así que, Señores Príncipes, que yo conozco que milagrosamente mandó quedar allí aquella nao Nuestro Señor, porque es el mejor lugar de toda la isla para hacer el asiento y más cerca de las minas del oro». También diz que supo que detrás de la isla Juana, de la parte del Sur, hay otra isla grande, en que hay muy mayor cantidad de oro que en ésta, en tanto grado que cogían los pedazos mayores que habas, y en la isla Española se cogían los pedazos de oro de las minas como granos de trigo. Llamábase diz que aquella isla *Yamaye*. También diz que supo el Almirante que allí, hacia el Leste, había una isla adonde no había sino solas mujeres, y esto diz que de muchas personas lo sabía. Y que aquella isla Española, o la otra isla Yamaye, estaba cerca de tierra firme diez jornadas de canoa, que podía ser sesenta o setenta leguas, y que era la gente vestida allí.

Lunes 7 de enero.—Este día hizo tomar una agua que hacía la carabela y calafetalla, y fueron los marineros en tierra a traer leña y diz que hallaron muchos almácigos y linaloe.

Martes 8 de enero.—Por el viento Leste y Sueste mucho que ventaba no partió este día, por lo cual mandó que se guarneciese la carabela de agua y leña y de todo lo necesario para todo el viaje, porque, aunque tenía voluntad de costear toda la costa de aquella Española que andando el camino pudiese, pero, porque los que puso en las carabelas por capitanes eran hermanos, conviene a saber Martín Alonso Pinzón y Vicente Anes *, y otros que le seguían con soberbia y cudicia estimando que todo era ya suyo, no mirando la honra que el Almirante les había hecho y dado, no habían obedecido ni obedecían sus mandamientos, antes hacían y decían muchas cosas no debidas contra él, y el Martín Alonso lo dejó desde el 21 de noviembre hasta el 6 de enero sin causa alguna ni razón sino por su desobediencia, todo lo cual el Almirante había sufrido y callado por dar buen fin a su viaje, así que, por salir de tan mala compañía, con los cuales dice que cumplía disimular aunque gente desmandada y aunque tenía diz que consigo muchos hombres de bien, pero no era tiempo de entender en castigo, acordó volverse y no parar más, con la mayor priesa que le fue posible. Entró en la barca y fue al río, que es allí junto,

* Vicente Yáñez.

hacia el Sursudoeste del Monte-Cristi una grande legua, donde iban los marineros a tomar agua para el navío, y halló que el arena de la boca del río, el cual es muy grande y hondo, era diz que toda llena de oro y en tanto grado que era maravilla, puesto que era muy menudo. Creía el Almirante que por venir por aquel río abajo se desmenuzaba por el camino, puesto que dice que en poco espacio halló muchos granos tan grandes como lentejas; mas de lo menudito diz que había mucha cantidad. Y, porque la mar era llena y entraba el agua salada con la dulce, mandó subir con la barca el río arriba un tiro de piedra: hincheron los barriles desde la barca y, volviéndose a la carabela hallaban metidos por los aros de los barriles pedacitos de oro, y lo mismo que en los aros de la pipa. Puso por nombre el Almirante al río el *Río del Oro,* el cual de dentro pasada la entrada muy hondo, aunque la entrada es baja y la boca muy ancha, y de él a la villa de la Navidad diez y siete leguas. Entremedias hay otros muchos ríos grandes; en especial tres, los cuales creía que debían tener mucho más oro que aquél, porque son más grandes, puesto que éste es cuasi tan grande como Guadalquivir por Córdoba; y de ellos a las minas del oro no hay veinte leguas. Dice más el Almirante: que no quiso tomar de la dicha arena que tenía tanto oro, pues Sus Altezas lo tenían todo en casa y a la puerta de su Villa de la Navidad, sino venirse a más andar por llevalles las nuevas y por quitarse de la mala compañía que tenía y que siempre había dicho que era gente desmandada.

Miércoles 9 de enero.—A media noche levantó las velas con el viento Sueste y navegó al Lesnordeste; llegó a una punta que llamó *Punta Roja,* que está justamente al Leste del Monte-Cristi sesenta millas. Y al abrigo de ella surgió a la tarde, que serían tres horas antes que anocheciese. No osó salir de allí de noche, porque había muchas restringas, hasta que se sepan, porque después serán provechosas si tienen, como deben tener, canales, y tienen mucho fondo y buen surgidero seguro de todos vientos. Estas tierras, desde Monte-Cristi hasta allí donde surgió,

son tierras altas y llanas y muy lindas campiñas, y
a las espaldas muy hermosos montes que van de
Leste a Oueste, y son todos labrados y verdes, que
es cosa de maravilla ver su hermosura, y tienen muchas riberas de agua. En toda esta tierra hay muchas
tortugas, de las cuales tomaron los marineros en el
Monte-Cristi que venían a desovar en tierra, y eran
muy grandes como una grande tablachina. El día
pasado, cuando el Almirante iba al Río de Oro, dijo
que vido tres serenas que salieron bien alto de la
mar, pero no eran tan hermosas como las pintan,
que en alguna manera tenían forma de hombre en
la cara. Dijo que otras veces vido algunas en Guinea,
en la costa de la Manegueta. Dice que esta noche,
con el nombre de Nuestro Señor, partiría a su viaje
sin más detenerse en cosa alguna, pues había hallado lo que buscaba, porque no quiere más enojo con
aquel Martín Alonso hasta que Sus Altezas supiesen
las nuevas de su viaje y de lo que ha hecho; «y después no sufriré —dice él— hechos de malas personas y de poca virtud, las cuales contra quien les dio
aquella honra presumen hacer su voluntad con poco
acatamiento».

Jueves 10 de enero.—Partióse de donde había surgido, y al sol puesto llegó a un río, al cual puso nombre *Río de Grecia*; dista de la parte del Sueste tres
leguas. Surgió a la boca, que es buen surgidero, a
la parte del Leste. Para entrar dentro tiene un banco, que no tiene sino dos brazas de agua y muy angosto: dentro es buen puerto cerrado, sino que tiene
mucha bruma, y de ella iba la carabela *Pinta*, donde
iba Martín Alonso, muy maltratada, porque diz que
estuvo allí resgatando diez y seis días, donde resgataron mucho oro, que era lo que deseaba Martín
Alonso. El cual, después que supo de los indios que
el Almirante estaba en la costa de la misma isla Española y que no lo podía errar, se vino para él. Y
diz que quisiera que toda la gente del navío jurara
que no habían estado allí sino seis días. Mas diz que
era cosa tan pública su maldad, que no podía enco-
brir. El cual, dice el Almirante, tenía hechas leyes
que fuese para él la mitad del oro que se resgatase

o se hubiese. Y cuando hobo de partirse de allí, tomó cuatro hombres indios y dos mozos por fuerza, a los cuales el Almirante mandó dar de vestir y tornar en tierra que se fuesen a sus casas; «lo cual —dice— es servicio de Vuestras Altezas, así de esta isla en especial como de las otras. Mas, aquí donde tienen ya asiento Vuestras Altezas se debe hacer honra y favor a los pueblos, pues que en esta isla hay tanto oro y buenas tierras y especería».

Viernes 11 de enero.—A media noche salió del Río de Grecia con el terral; navegó al Leste, hasta un cabo que llamó *Belprado*, cuatro leguas; y de allí al Sueste está el monte a quien puso *Monte de Plata*, y dice que hay ocho leguas. De allí al cabo del Belprado al Leste, cuarta del Sueste, está el cabo que dijo del *Ángel*, y hay diez y ocho leguas; y de este cabo al Monte de Plata hay un golfo y tierras las mejores y más lindas del mundo, todas campiñas altas y hermosas, que van mucho la tierra adentro, y después hay una sierra, que va a Leste a Oueste, muy grande y muy hermosa; y al pie del monte hay un puerto muy bueno, y en la entrada tiene catorce brazas, y este monte es muy alto y hermoso, y todo esto es poblado mucho. Y creía el Almirante debía haber buenos ríos y mucho oro. Del Cabo del Ángel al Leste, cuarta del Sueste, hay cuatro leguas, a una punta que puso *del Hierro*; y al mismo camino, cuatro leguas, está una punta que llamó *la Punta Seca*; y de allí al mismo camino, a seis leguas, está el cabo que dijo *Redondo*; y de allí al Leste está el cabo Francés, y en este cabo, de la parte de Leste, hay una ancla grande, mas no le pareció haber surgidero. De allí una legua está al Cabo del Buen tiempo; de éste al Sur cuarta del Sueste hay un cabo que llamó *Tajado*, una grande legua; de éste hacia el Sur vido otro cabo, y parecióle que habrían quince leguas. Hoy hizo gran camino, porque el viento y las corrientes iban con él. No osó surgir, por miedo de los bajos, y así estuvo a la corda toda la noche.

Sábado 12 de enero.—Al cuarto del alba navegó al Leste con viento fresco y anduvo así hasta el día, y en este tiempo veinte millas y en dos horas después andaría veinticuatro millas. De allí vido al Sur tierra, y fue hacia ella, y estaría de ella cuarenta y ocho mias, y dice que, dado resguardo al navío, andaría esta noche veintiocho millas al Nornordeste. Cuando vido la tierra, llamó a un cabo que vido el *Cabo de Padre e Hijo,* porque a la punta de la parte del Leste tiene dos farallones, mayor el uno que el otro. Después, al Leste dos leguas, vido una grande abra y muy hermosa entre dos grandes montañas, y vido que era grandísimo puerto, bueno y de muy buena entrada; pero, por ser muy de mañana y no perder camino, porque por la mayor parte del tiempo hace por allí Lestes y entonces le lleva Nornorueste, no quiso detenerse más. Siguió su camino al Leste hasta un cabo muy alto y muy hermoso y todo de piedra tajado a quien puso por nombre *Cabo del Enamorado,* el cual estaba al Leste de aquel puerto a quien llamó *Puerto Sacro,* treinta y dos millas; y, en llegando a él, descubrió otro muy más hermoso y más alto y redondo, de peña todo, así como el Cabo de San Vicente en Portugal, y estaba del Enamorado al Leste doce millas. Después que llegó a emparejarse con el del Enamorado, vido, entremedias de él y de otro, vido que se hacía una grandísima bahía que tiene de anchor tres leguas, y en medio de ella está una isleta pequeñuela, el fondo es mucho a la entrada hasta tierra. Surgió allí en doce brazas, envió la barca en tierra por agua y por ver si habían lengua, pero la gente toda huyó. Surgió también por ver si toda era aquella una tierra con la Española; y lo que dijo ser golfo sospechaba no fuese otra isla por sí. Quedaba espantado de ser tan grande la isla Española.

Domingo 13 de enero.—No salió de este puerto por no hacer terral con que saliese. Quisiera salir por ir a otro mejor puerto, porque aquél era algo descubierto, y porque quería ver en qué paraba la conjunción de la Luna con el Sol, que esperaba a 17 de este mes, y la oposición de ella con Júpiter y conjunción con Mercurio y el Sol en opósito con Júpiter, que es causa de grandes vientos. Envió la barca a tierra en una hermosa playa para que tomasen de los ajes para comer, y hallaron ciertos hombres con arcos y flechas, con los cuales se pararon a hablar, y los compraron dos arcos y muchas flechas y rogaron a uno de ellos que fuese a hablar al Almirante a la carabela; y vino, el cual diz que era muy disforme en el acatadura más que otros que hobiesen visto. Tenía el rostro todo tiznado de carbón, puesto que en todas partes acostumbran de se teñir de diversos colores. Traía todos los cabellos muy largos y encogidos y atados atrás y después puestos en una rebecilla de plumas de papagayos, y él así desnudo como los otros. Juzgó el Almirante que debía ser de los caribes que comen los hombres, y que aquel golfo que ayer había visto que hacía apartamiento de tierra y que sería isla por sí. Preguntóle por los caribes y señalóle al Leste, cerca de allí, la cual diz que ayer vio el Almirante antes que entrase en aquella bahía, y díjole el indio que en ella había muy mucho oro, señalándole la popa de la carabela, que era bien grande, y que pedazos había tan grandes. Llamaba al oro *tuob* y no entendía por *caona*, como le llaman en la primera parte de la isla, ni por *nozay*, como lo nombran en San Salvador y en las otras islas. Al alambre o a un oro bajo llaman en la Española *tuob*. De la isla de Matinino dijo aquel indio que era toda poblada de mujeres sin hombres, y que en ella hay mucho tuob, que es oro o alambre, y que es más al Leste de Carib. También dijo de la isla de Goanin, adonde hay mucho tuob. De estas islas dice el Almirante que por muchas personas hace días había noticia. Dice más el Almirante; que en las islas pasadas estaban con gran temor de Carib, y en algunas le llamaban *Caniba*, pero en la Española *Carib*; y que debe de ser gente arriscada, pues andan por todas estas islas y comen la gente que pueden haber. Dice que entendía algunas palabras, y por ellas diz que saca otras cosas, y que los indios que consigo traía entendían más, puesto que hallaba diferencia de lenguas por la gran distancia de las tierras. Mandó dar al indio de comer, y diole pedazos de paño verde y colorado y cuentezuelas de vidrio, a que ellos son muy aficionados, y tornóle a enviar a tierra y díjole que trujese oro si lo había, lo cual creía por algunas cositas suyas que él traía. En llegando la barca a tierra, estaban detrás los árboles bien cincuenta y cinco hombres desnudos, con los cabellos muy largos, así como las mujeres los traen en Castilla. Detrás de la cabeza traían penachos de plumas de papagayos y de otras aves, y cada uno traía su arco. Descendió el indio en tierra e hizo que los otros dejasen sus arcos y flechas, y un pedazo de palo que es como un *   muy pesado que traen en lugar de espada; los cuales después se llegaron a la barca, y la gente de la barca salió a tierra y comenzáronles a comprar los arcos y flechas y las otras armas, porque el Almirante así lo tenía ordenado. Vendidos dos arcos, no quisieron dar más; antes se aparejaron de arremeter a los cristianos y prendellos. Fueron corriendo a tomar sus arcos y flechas donde los tenían apartados y tornaron con cuerdas en las manos para diz que atar a los cristianos. Viéndolos venir corriendo a ellos, estando los cristianos apercibidos, porque siempre los avisaba de esto el Almirante, arremetieron los cristianos a ellos, y dieron a un indio una gran cuchillada en las nalgas y a otro por los pechos hirieron con una saetada, lo cual, visto que podían ganar poco aunque no eran los cristianos sino siete y ellos cincuenta y tantos, dieron a huir que no quedó ninguno, dejando uno aquí las flechas y otro allí los arcos. Mataran diz que los cristianos muchos de ellos si el piloto que iba por capitán de ellos no lo estorbara. Volviéronse luego a la carabela los cristianos con su barca, y, sabido por el Almirante, dijo que por una parte le había pesado y por otra no, porque hayan miedo a los cristianos, porque sin duda (dice él) la gente de allí es diz que de mal hacer y que creía que eran los de Carib y que comiesen los hombres, y porque, viniendo por allí la barca que dejó a los treinta y nueve hombres en la fortaleza y Villa de la Navidad, tengan miedo de hacerles algún mal. Y que si no son de los caribes, al menos deben ser fronteros y de las mismas costumbres y gente sin miedo, no como los

* Vacío en el texto original.

otros de las otras islas, que son cobardes y sin armas fuera de razón. Todo esto dice el Almirante y que querría tomar algunos de ellos. Diz que hacían muchas ahumadas como acostumbraban en aquella isla Española.

Lunes 14 de enero.—Quisiera enviar esta noche a buscar las casas de aquellos indios por tomar algunos de ellos, creyendo que eran caribes, y por el mucho Leste y Nordeste y mucha ola que hizo en la mar; pero, ya de día, vieron mucha gente de indios en tierra, por lo cual mandó el Almirante ir allá la barca con gente bien aderezada, los cuales luego vinieron todos a la popa de la barca, y especialmente el indio que el día antes había venido a la carabela y el Almirante le había dado las cosillas de resgate. Con éste diz que venía un rey, el cual había dado al indio dicho unas cuentas que diese a los de la barca en señal de seguro y de paz. Este rey, con tres de los suyos, entraron en la barca y vinieron a la carabela. Mandóles el Almirante dar de comer bizcocho y miel y diole un bonete colorado y cuentas y un pedazo de paño colorado, y a los otros también pedazos de paño, el cual dijo que traería mañana una carátula de oro, afirmando que allí había mucho, y en Carib y en Matinino. Después los envió a tierra bien contentos. Dice más el Almirante: que hacían agua mucha las carabelas por la quilla, y quéjase mucho de los calafates que en Palos las calafatearon muy mal y que cuando vieron que el Almirante había entendido el defecto de su obra y los quisiera constreñir a que la enmendaran, huyeron; pero, no obstante, la mucha agua que las carabelas hacían, confía en Nuestro Señor que le trujo, le tornará por su piedad y misericordia, que bien sabía Su Alta Majestad cuánta controversia tuvo primero antes que se pudiese expedir de Castilla, que ninguno otro fue en su favor sino El, porque El sabía su corazón, y después de Dios Sus Altezas, y todo lo demás le había sido contrario sin razón alguna. Y dice más así: «y han seído causa que la Corona Real de Vuestras Altezas no tenga cien cuentos de renta más de la que tiene después que yo vine a les servir, que son siete años agora a 20 días de enero este mismo mes, y más lo que acrecentado sería de aquí en adelante. Mas aquel poderoso Dios remediará todo». Estas son sus palabras.

Martes 15 de enero.—Dice que quiere partir porque ya no aprovecha nada detenerse, por haber pasado aquellos desconciertos (debe decir del escándalo de los indios). Dice también que hoy ha sabido que toda la fuerza del oro estaba en la comarca de la Villa de la Navidad de Sus Altezas, y que en la isla de Carib había mucho alambre y en Matinino, puesto que será dificultoso en Carib, porque aquella gente diz que come carne humana, y que de allí se parecía la isla de ellos y que tenía determinado de ir allá, pues está en el camino, y a la de Matinino que diz que era poblada toda de mujeres sin hombres, y ver la una y la otra y tomar diz algunos de ellos. Envió el Almirante la barca a tierra, y el rey de aquella tierra no había venido, porque diz que la población estaba lejos; mas envió su corona de oro, como había prometido, y vinieron otros muchos hombres con algodón y con pan de ajes, todos con sus arcos y flechas. Después que todo lo hobieron resgatado, vinieron diz que cuatro mancebos a la carabela, y pareciéronle al Almirante dar tan buena cuenta de todas aquellas islas que estaban hacia el Leste en el mismo camino que el Almirante había de llevar, que determinó de traer a Castilla consigo. Allí diz que no tenían hierro ni otro metal que se hobiese visto, aunque en pocos días no se puede saber de una tierra mucho, así por la dificultad de la lengua, que no entendía el Almirante, sino por discreción, como porque ellos no saben lo que él pretendía en pocos días. Los arcos de aquella gente diz que eran tan grandes como los de Francia e Inglaterra; las flechas son propias como las azagayas de las otras gentes que hasta allí había visto, que son de los pimpollos de las cañas cuando son simiente, que quedan muy derechas y de longura de una vara y media y de dos, y después ponen al cabo un pedazo de palo agudo de un palmo y medio, y encima de este palillo, algunos le injieren un diente de pes-

cado y algunos y los más le ponen allí hierba, y
no tiran como en otras partes, salvo por una cierta manera que no pueden mucho ofender. Allí había muy mucho algodón y muy fino y luengo y hay
muchas almácigas, y parecíale que los arcos eran de
tejo, y que hay oro y cobre. También hay mucho
ají, que es su pimienta, della que vale más que pimienta, y toda la gente no come sin ella, que la halla
muy sana: puédense cargar cincuenta carabelas cada año en aquella Española. Dice que halló mucha
hierba en aquella bahía, de la que hallaban en el golfo cuando venía al descubrimiento, por lo cual creía
que había islas al Leste hasta en derecho de donde
las comenzó a hallar: porque tiene por cierto que
aquella hierba nace en poco fondo junto a tierra, y
dice que si así es muy cerca estaban estas Indias
de las islas de Canaria, y por esta razón creía que
distaban menos de cuatrocientas leguas.

Miércoles 16 de enero.—Partió antes del día tres
horas del golfo que llamó el *Golfo de las Flechas,*
con viento de la tierra, después con viento Oueste,
llevando la proa al Leste cuarta del Nordeste para
ir diz que a la isla de Carib, donde estaba la gente
de quien todas aquellas islas y tierras tanto miedo
tenían, porque diz que con sus canoas sinnúmero
andaban todas aquellas mares y diz que comían los
hombres que pueden haber. La derrota diz que le
había mostrado unos indios de aquellos cuatro que
tomó ayer en el Puerto de las Flechas. Después de
haber andado a su parecer sesenta y cuatro millas,
señaláronle los indios quedaría la dicha isla al Sueste: quiso llevar aquel camino y mandó templar las
velas, y, después de haber andado dos leguas, refrescó el viento muy bueno para ir a España. Notó
en la gente que comenzó a entristecerse por des-
viarse del camino derecho, por la mucha agua que
hacían ambas carabelas, y no tenían algún remedio
salvo el de Dios. Hobo de dejar el camino que creía
que llevaba de la isla y volvió al derecho de España,
Nordeste cuarta del Leste, y anduvo así hasta el sol
puesto cuarenta y ocho millas, que son doce leguas.
Dijéronle los indios que por aquella vía hallaría la

isla de Matinino, que diz que era poblada de mujeres sin hombres, lo cual el Almirante mucho quisiera por llevar diz que a los Reyes cinco o seis de ellas; pero dudaba que los indios supiesen bien la derrota, y él no se podía detener, por el peligro del agua que cogían las carabelas; más, diz que era cierto que las había, y que cierto tiempo del año venían los hombres a ellas de la dicha isla de Carib, que diz que estaba de ellas diez o doce leguas, y si parían niño enviábanlo a la isla de los hombres, y si niña dejábanla consigo. Dice el Almirante que aquellas dos islas no debían distar de donde había partido quince o veinte leguas, y creía que eran al Sueste, y que los indios no le supieron señalar la derrota. Después de perder de vista el cabo que nombró de *San Theramo*, de la isla Española, que le quedaba al Oueste diez y seis leguas, anduvo doce leguas al Oeste cuarta del Nordeste. Llevaba muy buen tiempo.

Jueves 17 de enero.—Ayer, al poner del sol calmóle algo el viento; andaría catorce ampolletas, que tenía cada una media hora o poco menos, hasta el rendir del primer cuarto, y andaría cuatro millas por hora, que son veintiocho millas. Después refrescó el viento y anduvo así todo aquel cuarto, que fueron diez ampolletas, y después otras seis, hasta salido el sol, ocho millas por hora, y así andaría por todas ochenta y cuatro millas que son veintiuna leguas al Nordeste cuarta del Leste, y hasta el sol puesto andaría más cuarenta y cuatro millas, que son once leguas al Leste. Aquí vino un alcatraz a la carabela y después otro, y vido mucha hierba de la que está en la mar.

Viernes 18 de enero.—Navegó con poco viento esta noche al Leste cuarta del Sueste cuarenta millas, que son diez leguas, y después al Sueste cuarta del Leste treinta millas, que son siete leguas y media, hasta salido el sol. Después de salido el sol navegó todo el día con poco viento Lesnordeste y Nordeste y con Leste más y menos, puesta la proa a veces al Norte y a veces a la cuarta del Nordeste y al

Nornordeste; y así, contando lo uno y lo otro, creyó que andaría sesenta millas, que son quince leguas. Pareció poca hierba en la mar; pero dice que ayer y hoy pareció la mar cuajada de atunes, y creyó el Almirante que de allí debían de ir a las almadrabas del Duque de Conil y de Cáliz. Por un pescado que se llama rabiforcado, que anduvo alrededor de la carabela y después se fue la vía del Sursueste, creyó el Almirante que había por allí algunas islas. Y al Lesueste de la isla Española dijo que quedaba la isla de Carib y la de Matinino y otras muchas.

Sábado 19 de enero.—Anduvo esta noche cincuenta y seis millas al Norte cuarta del Nordeste y sesenta y cuatro al Nordeste cuarta del Norte. Después del sol salido, navegó al Nordeste con el viento Lesueste, con viento fresco, y después a la cuarta del Norte, y andaría ochenta y cuatro millas, que son veintiuna leguas. Vino la mar cuajada de atunes pequeños: hobo alcatraces, rabos de juncos y rabiforcados.

Domingo 20 de enero.—Calmó el viento esta noche, y a ratos ventaba unos balcos de vientos y andaría por todo veinte millas al Nordeste. Después del sol salido, andaría once millas al Sueste, después al Nornordeste treinta y seis millas, que son nueve leguas. Vido infinitos atunes pequeños: los aires diz que muy suaves y dulces, como en Sevilla por abril o mayo, y la mar, dice, a Dios sean dadas muchas gracias siempre muy llana. Rabiforcados y pardelas y otras aves muchas parecieron.

Lunes 21 de enero.—Ayer, después del sol puesto, navegó al Norte cuarta del Nordeste, con el viento Leste y Nordeste: andaría ocho millas por hora hasta media noche, que serían cincuenta y seis millas. Después anduvo al Nornordeste ocho millas por hora, y así serían, en toda la noche, ciento y cuatro millas, que son veintiséis leguas, a la cuarta del Norte de la parte del Nordeste. Después del sol salido, navegó al Nornordeste con el mismo viento Leste, y a veces a la cuarta del Nordeste, y andaría ochenta y ocho millas en once horas que tenía el día, que son veintiuna leguas, sacada una que perdió porque arribó sobre la carabela *Pinta* por hablalle. Hallaba los aires más fríos, y pensaba diz que hallarlos más cada día cuanto más se llegase al Norte, y también por las noches ser más grandes por la angostura de la esfera. Parecieron muchos rabos de juncos y pardelas y otras aves; pero no tantos peces, diz que por ser el agua más fría. Vido mucha hierba.

Martes 22 de enero.—Ayer, después del sol puesto, navegó al Nornordeste con viento Leste y tomaba del Sueste: andaba ocho millas por hora hasta pasadas cinco ampolletas, y tres de antes que se comenzase la guardia, que eran ocho ampolletas. Y así, habrían andado setenta y dos millas, que son diez y ocho leguas. Después anduvo a la cuarta del Nordeste al Norte seis ampolletas, que serían otras diez y ocho millas. Después cuatro ampolletas de la segunda guarda al Nordeste, seis millas por hora, que son tres leguas al Nordeste. Después, hasta el salir del sol, anduvo al Lesnordeste once ampolletas, seis leguas por hora, que son siete leguas. Después al Lesnordeste, hasta las once horas del día, treinta y dos millas. Y así calmó el viento y no anduvo más en aquel día. Nadaron los indios. Vieron rabos de juncos y mucha hierba.

Miércoles 23 de enero.—Esta noche tuvo muchos mudamientos en los vientos; tanteado todo y dado los resguardos que los marineros buenos suelen y deben dar, dice que andaría esta noche, al Nordeste cuarta del Norte, ochenta y cuatro millas, que son veintiuna leguas. Esperaba muchas veces a la carabela *Pinta*, porque andaba mal de la bolina, porque se ayudaba poco de la mesana por el mástel no ser bueno; y dice que si el capitán de ella, que es Martín Alonso Pinzón, tuviera tanto cuidado de proveerse de un buen mástel en las Indias, donde tantos y tales había, como fue cudicioso de se apartar de él, pensando de hinchir el navío de oro, él lo pusiera bueno. Parecieron muchos rabos de juncos y mucha hierba: el cielo todo turbado estos días; pero no había llovido, y la mar siempre muy llana como en un río, a Dios sean dadas muchas gracias. Después del sol salido, andaría al Nordeste franco cierta parte del día treinta millas, que son siete leguas y media, y después lo demás anduvo al Lesnordeste otras treinta, que son siete leguas y media.

Jueves 24 de enero.—Andaría esta noche toda, consideradas muchas mudanzas que hizo el viento al Nordeste, cuarenta y cuatro millas, que fueron once leguas. Después de salido el sol hasta puesto, andaría al Lesnordeste catorce leguas.

Viernes 25 de enero.—Navegó esta noche al Lesnordeste un pedazo de la noche, que fueron trece ampolletas, nueve leguas y media; después anduvo al Nornordeste otras seis millas. Salido el sol todo el día, porque calmó el viento, andaría al Lesnordeste veintiocho millas, que son siete leguas. Mataron los marineros una tonina y grandísimo tiburón, y diz que lo habían bien menester, porque no traían ya de comer sino pan y vino y ajes de las Indias.

Sábado 26 de enero.—Esta noche anduvo al Leste, cuarta del Sueste, cincuenta y seis millas, que son catorce leguas. Después del sol salido, navegó a las veces al Lesueste y a las veces al Sueste; andaría hasta las once horas del día cuarenta millas. Después hizo otro bordo, y después anduvo a la relinga, y hasta la noche anduvo hacia el Norte veinticuatro millas, que son seis leguas.

Domingo 27 de enero.—Ayer, después del sol puesto, anduvo al Nordeste y al Norte, y al Norte cuarta del Nordeste, y andaría cinco millas por hora, y en trece horas serían sesenta y cinco millas, que son diez y seis leguas y media. Después del sol salido, anduvo hacia el Nordeste veinticuatro millas, que son seis leguas hasta mediodía, y de allí hasta el sol puesto andaría tres leguas al Lesnordeste.

Lunes 28 de enero.—Esta noche toda navegó al Lesnordeste, y andaría treinta y seis millas, que son nueve leguas. Después del sol salido, anduvo hasta el sol puesto al Lesnordeste veinte millas, que son cinco leguas. Los aires halló templados y dulces. Vido rabos de juncos y pardelas y mucha hierba.

Martes 29 de enero.—Navegó al Lesnordeste y andaría en la noche con Sur y Sudueste treinta y nueve millas, que son nueve leguas y media. En todo el día andaría ocho leguas. Los aires muy templados, como en abril en Castilla; la mar muy llana: peces que llaman *dorados* vinieron a bordo.

Miércoles 30 de enero.—En toda esta noche andaría siete leguas al Lesnordeste. De día corrió al Sur, cuarta al Sueste, trece leguas y media. Vido rabos de juncos y mucha hierba y muchas toninas.

Jueves 31 de enero.—Navegó esta noche al Norte cuarta del Nordeste, treinta millas, y después al Nordeste treinta y cinco millas, que son diez y seis leguas. Salido el sol, hasta la noche anduvo al Lesnordeste trece leguas y media. Vieron rabos de junco y pardelas.

Viernes 1 de febrero.—Anduvo esta noche al Lesnordeste diez y seis leguas y media. El día corrió al mismo camino veintinueve leguas y un cuarto; la mar muy llana a Dios gracias.

Sábado 2 de febrero.—Anduvo esta noche al Lesnordeste cuarenta millas, que son diez leguas. De día, con el mismo viento a popa, corrió siete millas por hora; por manera que en once horas anduvo setenta y siete millas, que son diez y nueve leguas y cuarta; la mar muy llana, gracias a Dios, y los aires muy dulces. Vieron tan cuajada la mar de hierba que si no la hobieran visto temieran ser bajos. Pardelas vieron.

Domingo 3 de febrero.—Esta noche, yendo a popa con la mar muy llana, a Dios gracias, andarían veintinueve leguas. Parecióle la estrella del Norte muy alta, como en el Cabo de San Vicente. No pudo tomar el altura con el astrolabio ni cuadrante, porque la ola no le dio lugar. El día navegó al Lesnordeste su camino, y andaría diez millas por hora, y, así, en once horas veintisiete leguas.

Lunes 4 de febrero.—Esta noche navegó al Leste cuarta del Nordeste; parte anduvo doce millas por hora y parte diez, y así anduvo ciento treinta millas, que son treinta y dos leguas y media. Tuvo el cielo muy turbado y llovioso y hizo algún frío, por lo cual diz que cognocía que no había llegado a las islas de los Azores. Después del sol levantado, mudó el camino y fue al Leste. Anduvo en todo el día setenta y siete millas, que son diez y nueve leguas y cuarta.

Martes 5 de febrero.—Esta noche navegó al Leste; andaría toda ella cincuenta y cuatro millas, que son catorce leguas menos media. El día corrió diez millas por hora, y, así, en once horas fueron ciento diez millas, que son veintisiete leguas y media. Vieron pardelas y palillos, que era señal que estaban cerca de tierra.

Miércoles 6 de febrero.—Navegó esta noche al Leste; andaría once millas por hora. En trece horas de la noche andaría ciento cuarenta y tres millas, que son treinta y cinco leguas y cuarta. Vieron muchas aves y pardelas. El día corrió catorce millas por hora, y, así, anduvo aquel día ciento cincuenta y cuatro millas, que son treinta y ocho leguas y media; de manera que fueron, entre día y noche, setenta y cuatro leguas, poco más o menos. Vicente Anes * dijo que hoy por la mañana le quedaba la isla de Flores al Norte y la de la Madera al Leste. Roldán dijo que la isla del Fayal o la de San Gregorio le quedaba al Nornordeste y el Puerto Santo al Leste. Pareció mucha hierba.

---

* Vicente Yáñez.

Jueves 7 de febrero.—Navegó esta noche al Leste; andaría diez millas por hora, y, así, en trece horas ciento y treinta millas, que son treinta y dos leguas y media; el día ocho millas por hora, en once horas ochenta y ocho millas, que son veintidós leguas. En esta mañana estaba el Almirante al Sur de la isla de Flores sesenta y cinco leguas, y el piloto Pedro Alonso, yendo al Norte, pasaba entre la Tercera y la de Santa María, y al Leste pasaba de barlovento de la isla de la Madera doce leguas de la parte del Norte. Vieron los marineros hierba de otra manera que la pasada, de la que hay mucha en la isla de los Azores. Después se vido de la pasada.

Viernes 8 de febrero.—Anduvo esta noche tres millas por hora al Leste por un rato, y después caminó a la cuarta del Sueste; anduvo toda la noche doce leguas. Salido el sol, hasta mediodía corrió veintisiete millas; después, hasta el sol puesto, otras tantas, que son trece leguas al Sursueste.

Sábado 9 de febrero.—Un rato de esta noche andaría tres leguas al Sursueste; después al Sur cuarta del Sueste; después al Nordeste, hasta las diez horas del día, otras cinco leguas, y después, hasta la noche, anduvo nueve leguas al Leste.

Domingo 10 de febrero.—Después del sol puesto navegó al Leste toda la noche ciento treinta millas, que son treinta y dos leguas y media; el sol salido, hasta la noche anduvo nueve millas por hora, y, así, anduvo en once horas noventa y nueve millas, que son veinticuatro leguas y media y una cuarta. En la carabela del Almirante carteaban o echaban punto Vicente Yáñez y los dos pilotos Sancho Ruiz y Pedro Alonso Niño y Roldán, y todos ellos pasaban mucho adelante de las islas de los Azores al Leste por sus cartas; y, navegando al Norte, ninguno tomaba la isla de Santa María, que es la postrera de todas las de los Azores. Antes, serían delante cinco leguas, o fueran en la comarca de la isla de la Madera o en el Puerto Santo. Pero el Almirante se hallaba muy desviado de su camino,

hallándose mucho más atrás que ellos, porque esta
noche le quedaba la isla de Flores al Norte, y al
Leste iba en demanda a Nafe en África, y pasaba
a barlovento de la isla de la Madera de la parte
del Norte *   leguas. Así que ellos estaban más
cerca de Castilla que el Almirante con ciento cincuenta leguas. Dice que, mediante la gracia de Dios,
desque vean tierra se sabrá quién andaba más cierto.
Dice aquí también que primero anduvo doscientas
sesenta y tres leguas de la isla del Hierro a la venida que viese la primera hierba, etc.

Lunes 11 de febrero.—Anduvo esta noche doce
millas por hora a su camino, y, así, en toda ella contó
treinta y nueve leguas, y en todo el día corrió diez
y seis leguas y media. Vido muchas aves, de donde
creyó estar cerca de tierra.

Martes 12 de febrero.—Navegó al Leste seis millas
por hora esta noche, y andaría hasta el día setenta
y tres millas, que son diez y ocho leguas y un
cuarto. Aquí comenzó a tener grande mar y tormenta: y, si no fuera la carabela diz que muy buena
y bien aderezada, temiera perderse. El día correría
once o doce leguas, con mucho trabajo y peligro.

Miércoles 13 de febrero.—Después del sol puesto
hasta el día, tuvo gran trabajo del viento y de la
mar muy alta y tormenta; relampagueó hacia el
Nornordeste tres veces; dijo ser señal de gran
tempestad que había de venir de aquella parte o de
su contrario. Anduvo a árbol seco lo más de la
noche; después dio una poca de vela y andaría
cincuenta y dos millas, que son trece leguas. En este
día blandeó un poco el viento; pero luego creció y
la mar se hizo terrible y cruzaban las olas que ator-
mentaban los navíos. Andaría cincuenta y cinco millas, que son trece leguas y media.

Jueves 14 de febrero.—Esta noche creció el viento
y las olas eran espantables, contraria una de otra,

---

* Vacío en el texto original.

que cruzaban y embarazaban el navío que no podía
pasar adelante ni salir de entremedias de ellas y que-
braban en él: llevaba el papahigo muy bajo, para
que solamente lo sacase algo de las ondas: andaría
así tres horas y correría veinte millas. Crecía mucho la mar y el viento; y, viendo el peligro grande,
comenzó a correr a popa donde el viento lo llevase,
porque no había otro remedio. Entonces comenzó a
correr también la carabela *Pinta,* en que iba Martín
Alonso, y desapareció, aunque toda la noche hizo
faroles el Almirante y el otro le respondía; hasta
que parece que no pudo más por la fuerza de la
tormenta y porque se hallaba muy fuera del camino
del Almirante. Anduvo el Almirante esta noche al
Nordeste, cuarta del Leste, cincuenta y cuatro millas, que son trece leguas. Salido el sol, fue mayor
el viento, y la mar cruzando más terrible: llevaba
el papahigo solo y bajo, para que el navío saliese
de entre las ondas que cruzaban, porque no lo hun-
diesen. Andaba el camino de Lesnordeste, y después
a la cuarta hasta el Nordeste; andaría seis horas así,
y en ellas siete leguas y media. Él ordenó que se
echase un romero que fuese a Santa María de Gua-
dalupe y llevase un cirio de cinco libras de cera y
que hiciesen voto todos que al que cayese la suerte
cumpliese la romería, para lo cual mandó traer tantos garbanzos cuantas personas en el navío venían
y señalar uno con un cuchillo haciendo una cruz
y metellos en un bonete bien revueltos. El primero
que metió la mano fue el Almirante y sacó el gar-
banzo de la cruz, y así cayó sobre él la suerte y
desde luego se tuvo por romero y deudor de ir a
complir el voto. Echóse otra vez la suerte para
enviar romero a Santa María de Loreto, que está
en la marca de Ancona, tierra del Papa, que es
casa donde Nuestra Señora ha hecho y hace muchos
y grandes milagros, y cayó la suerte a un marinero
de Puerto de Santa María, que se llamaba Pedro de
Villa, y el Almirante le prometió de le dar dineros
para las costas. Otro romero acordó que se enviase
a que velase una noche en Santa Clara de Moguer
e hiciese decir una misa, para lo cual se tornaron
a echar los garbanzos con el de la cruz, y cayó la

suerte al mismo Almirante. Después de esto, el Almirante y toda la gente hicieron voto de, en llegando a la primera tierra, ir todos en camisa en procesión a hacer oración en una iglesia que fuese de la invocación de Nuestra Señora.

Allende los votos generales o comunes, cada uno hacía en especial su voto, porque ninguno pensaba escapar, teniéndose todos por perdidos, según la terrible tormenta que padecían. Ayudaba a acrecentar el peligro que venía el navío con falta de lastre, por haberse alivianado la carga, siendo ya comidos los bastimentos y el agua y vino bebido, lo cual, por cudicia del próspero tiempo que entre las islas tuvieron, no proveyó el Almirante, teniendo propósito de lo mandar lastrar en la isla de las Mujeres, adonde lleva propósito de ir. El remedio que para esta necesidad tuvo fue, cuando hacerlo pudieron, henchir las pipas que tenían vacías de agua y vino, de agua de la mar, y con esto en ella se remediaron.

Escribe aquí el Almirante las causas que le ponían temor de que allí Nuestro Señor no quisiese que pereciese y otras que le daban esperanza de que Dios lo había de llevar en salvamento, para que tales nuevas como llevaba a los Reyes no pereciesen. Parecíale que el deseo grande que tenía de llevar estas nuevas tan grandes y mostrar que había salido verdadero en lo que había dicho y proferídose a descubrir, le ponía grandísimo miedo de no lo conseguir, y que cada mosquito diz que le podía perturbar e impedir. Atribúyelo esto a su poca fe y desfallecimiento de confianza de la Providencia Divina. Confortábale, por otra parte, las mercedes que Dios le había hecho en dalle tanta victoria, descubriendo lo que descubierto había y complídole Dios todos sus deseos, habiendo pasado en Castilla en sus despachos muchas adversidades y contrariedades. Y que como antes hobiese puesto su fin y enderezado todo su negocio a Dios y le había oído y dado todo lo que le había pedido, debía creer que le daría cumplimiento de lo comenzado y le llevaría en salvamento. Mayormente que, pues le había librado a la ida, cuando tenía mayor razón de temer de los trabajos que con los marineros y gente que llevaba, los cuales todos a una voz estaban determinados de se volver y alzarse contra él haciendo protestaciones, y el eterno Dios le dio esfuerzo y valor contra todos y otras cosas de mucha maravilla que Dios había mostrado en él y por él en aquel viaje, allende aquellas que Sus Altezas sabían de las personas de su casa; así que dice que no debiera temer la dicha tormenta. Mas, su flaqueza y congoja —dice él— no me dejaba asentar la ánima. Dice más, que también le daba gran pena dos hijos que tenía en Córdoba al estudio, que los dejaba huérfanos de padre y madre en tierra extraña, y los Reyes no sabían los servicios que les había en aquel viaje hecho y nuevas tan prósperas que les llevaba para que se moviesen a los remediar. Por esto y porque supiesen Sus Altezas cómo Nuestro Señor le había dado victoria de todo lo que deseaba de la Indias y supiesen que ninguna tormenta había en aquellas partes, lo cual dice que se puede cognocer por la hierba y árboles que están nacidos y crecidos hasta dentro en la mar, y porque si se perdiese con aquella tormenta los Reyes hobiesen noticia de su viaje, tomó un pergamino y escribió en él todo lo que pudo de todo lo que había hallado, rogando mucho a quien lo hallase que le llevase a los Reyes. Este pergamino envolvió en un paño encerado, atado muy bien, y mandó traer un gran barril de madera y púsolo en él sin que ninguna persona supiese qué era, sino que pensaron todos que era alguna devoción; y así lo mandó echar en la mar. Después, con los aguaceros y turbionadas, se mudó el viento al Oueste, y andaría así a popa sólo con el trinquete cinco horas con la mar muy desconcertada; y andaría dos leguas y media al Nordeste. Había quitado el papahigo de la vela mayor, por miedo que alguna onda de la mar no se lo llevase del todo.

Viernes 15 de febrero.—Ayer, después del sol puesto, comenzó a mostrarse claro el cielo de la banda del Oueste, y mostraba que quería de hacia allí ventar. Dio la boneta a la vela mayor: todavía era la mar altísima, aunque iba algo bajándose. Anduvo al Lesnordeste cuatro millas por hora y en trece horas de noche fueron trece leguas. Después del sol salido vieron tierra: parecíales por proa al Lesnordeste; algunos decían que era la isla de la Madera, otros que era la Roca de Cintra en Portugal, junto a Lisboa. Saltó luego el viento por proa Lesnordeste, y la mar venía muy alta del Oueste; habría de la carabela a la tierra cinco leguas. El Almirante, por su navegación, se hallaba estar con las islas de los Azores, y creía que aquélla era una de ellas: los pilotos y marineros se hallaban ya con tierra de Castilla.

Sábado 16 de febrero.—Toda esta noche anduvo dando bordos por encabalgar la tierra que ya se cognocía ser isla. A veces iba al Nordeste, otras al Nornordeste, hasta que salió el sol, que tomó la vuelta del Sur por llegar a la isla que ya no vían por la gran cerrazón, y vido por popa otra isla que distaría ocho leguas. Después del sol salido, hasta la noche anduvo dando vueltas por llegarse a la tierra con el mucho viento y mar que llevaba. Al decir la *Salve,* que es a boca de noche, algunos vieron lumbre de sotavento, y parecía que debía ser la isla que vieron ayer primero; y toda la noche anduvo barloventeando y allegándose lo más que podía para ver si al salir del sol vía alguna de las islas. Esta noche reposó el Almirante algo, porque desde el miércoles no había dormido ni podido dormir, y quedaba muy tollido de las piernas por estar siempre desabrigado al frío y al agua y por el poco comer. El sol salido, navegó al Sursudueste, y la noche llegó a la isla y por la gran cerrazón no pudo cognocer qué isla era.

Lunes 18 de febrero.—Ayer, después del sol puesto, anduvo rodeando la isla para ver dónde había de surgir y tomar lengua. Surgió con una ancla que luego perdió. Tornó a dar la vela y barloventeó toda la noche. Después del sol salido, llegó otra vez de la parte del Norte de la isla, y donde le pareció surgió con un ancla y envió la barca en tierra y hobieron habla con la gente de la isla, y supieron cómo

era la isla de Santa María, una de las de los
Azores, y enseñáronles el puerto donde habían de
poner la carabela; y dijo la gente de la isla que jamás habían visto tanta tormenta como la que había
hecho los quince días pasados y que se maravilla-
ban cómo habían escapado; los cuales diz que dieron
muchas gracias a Dios y hicieron muchas alegrías
por las nuevas que sabían de haber el Almirante descubierto las Indias. Dice el Almirante que
aquella su navegación había sido muy cierta y que
había carteado bien, que fuesen dadas muchas gracias a Nuestro Señor, aunque se hacía algo delan-
tero. Pero tenía por cierto que estaba en la comarca
de las islas de los Azores, y que aquélla era una de
ellas. Y diz que fingió haber andado más camino por
desatinar a los pilotos y marineros que carteaban,
por quedar él señor de aquella derrota de las Indias,
como de hecho queda, porque ninguno de todos ellos
traía su camino cierto, por lo cual ninguno puede
estar seguro de su derrota para las Indias.

Martes 19 de febrero.—Después del sol puesto, vinieron a la ribera tres hombres de la isla y llamaron.
Envióles la barca, en la cual vinieron y trujieron
gallinas y pan fresco, y era día de Carnestolendas, y
trujeron otras cosas que enviaba el capitán de la
isla, que se llamaba Juan de Castañeda, diciendo que
lo conocía muy bien y que por ser noche no venía
a vello; pero en amaneciendo vendría y traería más
refresco, y traería consigo tres hombres que allá
quedaban de la carabela, y que no los enviaba por
el gran placer que con ellos tenía oyendo las cosas
de su viaje. El Almirante mandó hacer mucha honra
a los mensajeros, y mandóles dar camas en que dur-
miesen aquella noche, porque era tarde y estaba la
población lejos. Y porque el jueves pasado, cuando
se vido en la angustia de la tormenta, hicieron el
voto y votos susodichos y el de que en la primera
tierra donde hobiese casa de Nuestra Señora saliesen
en camisa, etc., acordó que la mitad de la gente fuese
a complillo a una casita que estaba junto con la
mar como ermita, y él iría después con la otra
mitad. Viendo que era tierra segura, y confiando en

las ofertas del capitán y en la paz que tenía Portugal con Castilla, rogó a los tres hombres que se fuesen a la población y hiciesen venir un clérigo para que les dijese una misa. Los cuales, idos en camisa, en cumplimiento de su romería, y estando en su oración, saltó con ellos todo el pueblo a caballo y a pie con el capitán y prendiéronlos a todos. Después, estando el Almirante sin sospecha esperando la barca para salir él a cumplir su romería con la otra gente hasta las ' once del día, viendo que no venían, sospechó que los tenían o que la barca se había quebrado, porque toda la isla está cercada de peñas muy altas. Esto no podía ver el Almirante porque la ermita estaba detrás de una punta. Levantó el ancla y dio la vela hasta en derecho de la ermita, y vido muchos de caballo que se apearon y entraron en la barca con armas, y vinieron a la carabela para prender al Almirante. Levantóse el capitán en la barca y pidió seguro al Almirante: dijo que se lo daba; pero ¿qué inovación era aquélla que no vía ninguna de su gente en la barca?, y añadió el Almirante que viniese y entrase en la carabela, que él haría todo lo que él quisiese. Y pretendía el Almirante con buenas palabras traello por prendello para recuperar su gente, no creyendo que violaba la fe dándole seguro, pues él, habiéndole ofrecido paz y seguridad, lo había quebrantado. El capitán, como diz que traía mal propósito, no se fió a entrar. Visto que no se llegaba a la carabela, rogóle que le dijese la causa porque detenía su gente y que de ello pesaría al Rey de Portugal, y que en tierra de los Reyes de Castilla recebían los portugueses mucha honra y entraban y estaban seguros como en Lisboa, y que los Reyes habían dado carta de recomendación para todos los príncipes y señores y hombres del mundo, las cuales le mostraría si se quisiese llegar; y que él era su Almirante del mar Océano y Visorey de las Indias, que agora eran de Sus Altezas, de lo cual mostraría las provisiones firmadas de sus firmas y selladas con sus sellos, la cuales le enseñó de lejos, y que los Reyes estaban en mucho amor y amistad con el Rey de Portugal y le habían mandado que hiciese toda la honra que pudiese a los navíos que topase de Portugal, y que, dado que no le quisiese darle su gente, no por eso dejaría de ir a Castilla, pues tenía harta gente para navegar hasta Sevilla, y serían él y su gente bien castigados, haciéndoles aquel agravio. Entonces respondió el capitán y los demás no conocer acá Rey e Reina de Castilla, ni sus cartas, ni le habían miedo; antes les darían a saber qué era Portugal, cuasi amenazando. Lo cual oído, el Almirante hobo mucho sentimiento, y diz que pensó si había pasado algún desconcierto entre un reino y otro después de su partida, y no se pudo sufrir que no les respondiese lo que era razón. Después tornóse diz que a levantar aquel capitán desde lejos y dijo al Almirante que se fuese con la carabela al puerto, y que todo lo que él hacía y había hecho, el Rey su Señor se lo había enviado a mandar; de lo cual el Almirante tomó testigos los que en la carabela estaban, y tornó el Almirante a llamar al capitán y a todos ellos y les dio su fe y prometió, como quien era, de no descender ni salir de la carabela hasta que llevase un ciento de portugueses a Castilla y despoblar toda aquella isla. Y así se volvió a surgir en el puerto donde estaba primero, porque el tiempo y viento era muy malo para hacer otra cosa.

Miércoles 20 de febrero.—Mandó aderezar el navío y hinchir las pipas de agua de la mar por lastre, porque estaba en muy mal puerto y temió que se le cortasen las amarras, y así fue; por lo cual dio la vela hacia la isla de San Miguel, aunque en ninguna de la de los Azores hay buen puerto para el tiempo que entonces hacía, y no tenía otro remedio sino huir a la mar.

Jueves 21 de febrero.—Partió ayer de aquella isla de Santa María para la de San Miguel, para ver si hallaba puerto para poder sufrir tan mal tiempo como hacía, con mucho viento y mucha mar, y anduvo hasta la noche sin poder ver tierra una ni otra por la gran cerrazón y oscuraña que el viento y la mar causaban. El Almirante dice que estaba con poco placer, porque no tenía sino tres marineros solos que supiesen de la mar, porque los que más allí estaban no sabían de la mar nada. Estuvo a la corda toda esta noche con muy mucha tormenta y grande peligro y trabajo, y en lo que Nuestro Señor le hizo merced fue que la mar o las ondas de ella venían de sola una parte, porque si cruzaran como las pasadas, muy mayor mal padeciera. Después del sol salido, visto que no vía la isla de San Miguel, acordó tornarse a la Santa María por ver si podía cobrar su gente y la barca y las amarras y anclas que allá dejaba.

Dice que estaba maravillado de tan mal tiempo como había en aquellas islas y partes, porque en las Indias navegó todo aquel invierno sin surgir, e había siempre buenos tiempos y que una sola hora no vido la mar que no se pudiese bien navegar, y en aquellas islas había padecido tan grave tormenta, y lo mismo le acaeció a la ida hasta las Islas de Canaria; pero, pasada de ellas, siempre halló los aires y la mar con gran templanza. Concluyendo, dice el Almirante que bien dijeron los sacros teólogos y los sabios filósofos que el Paraíso Terrenal está en el fin de Oriente, porque es lugar temperadísimo. Así que aquellas tierras que agora él había descubierto es —dice él— el fin del Oriente.

Viernes 22 de febrero.—Ayer surgió en la isla de Santa María en el lugar o puerto donde primero había surgido, y luego vino un hombre a capear desde unas peñas que allí estaban fronteras, diciendo que no se fuesen de allí. Luego vino la barca con cinco marineros, dos clérigos y un escribano: pidieron seguro, y, dado por el Almirante, subieron a la carabela; y porque era noche durmieron allí, y el Almirante les hizo la honra que pudo. A la mañana le requirieron que les mostrase poder de los Reyes de Castilla para que a ellos les constase cómo con poder de ellos había hecho aquel viaje. Sintió el Almirante que aquello hacían por mostrar color que no habían en lo hecho errado, sino que tuvieron razón, porque no habían podido haber la persona del Almirante, la cual debieran de pretender coger a las manos, pues vinieron con la barca armada, sino que no vieron que el juego les saliera bien, y con temor de lo que el Almirante había dicho y amenazado, lo cual tenía propósito de hacer y creyó que saliera con ello. Finalmente, por haber la gente que le tenían, hobo de mostralles la carta general de los Reyes para todos los príncipes y señores de encomienda y otras provisiones; y dioles de lo que tenía y fuéronse a tierra contentos, y luego dejaron toda la gente con la barca, de los cuales supo que si tomaran al Almirante nunca lo dejaran libre; porque dijo el capitán que el Rey su Señor se lo había así mandado.

Sábado 23 de febrero.—Ayer comenzó a querer abonanzar el tiempo; levantó las anclas y fue a rodear la isla para buscar algún buen surgidero para tomar leña y piedra para lastre, y no pudo tomar surgidero hasta horas de completas.

Domingo 24 de febrero.—Surgió ayer en la tarde para tomar leña y piedra, y, porque la mar era muy alta no pudo la barca llegar en tierra, y, al rendir de la primera guardia de noche, comenzó a ventar Oueste y Sudueste. Mandó levantar las velas por el gran peligro que en aquellas islas hay en esperar el viento Sur sobre el ancla, y en ventando Sudueste luego vienta Sur. Y, visto que era buen tiempo para ir a Castilla, dejó de tomar leña y piedra y hizo que gobernasen al Leste; y andaría hasta el sol salido, que habría seis horas y media, siete millas por hora, que son cuarenta y cinco millas y media. Después del sol salido hasta el ponerse, anduvo seis millas por hora, que en once horas fueron sesenta y seis millas, y cuarenta y cinco y media de la noche fueron ciento once y media, y, por consiguiente, veintiocho leguas.

Lunes 25 de febrero.—Ayer, después del sol puesto, navegó al Leste su camino cinco millas por hora: en trece horas de esta noche andaría sesenta y cinco millas, que son diez y seis leguas y cuarta. Después del sol salido hasta ponerse, anduvo otras diez y seis leguas y media con la mar llana, gracias a Dios. Vino a la carabela un ave muy grande que parecía águila.

Martes 26 de febrero.—Ayer, después del sol puesto, navegó a su camino al Leste, la mar llana, a Dios gracias: lo más de la noche andaría ocho millas por hora; anduvo cien millas, que son veinticinco leguas. Después del sol salido, con poco viento, tuvo aguaceros; anduvo obra de ocho leguas al Lesnordeste.

Miércoles 27 de febrero.—Esta noche y día anduvo fuera de camino por los vientos contrarios y grandes olas y mar, y hallábase ciento veinticinco leguas del Cabo de San Vicente y ochenta de la isla de la Madera y ciento y seis de la Santa María. Estaba muy penado con tanta tormenta, agora que estaba a la puerta de casa.

Jueves 28 de febrero.—Anduvo de la mesma manera esta noche con diversos vientos al Sur y al Sueste, y a una parte y a otra, y al Nordeste y al Lesnordeste, y de esta manera todo este día.

Viernes 1 de marzo.—Anduvo esta noche al Leste cuarta al Nordeste, doce leguas; de día corrió al Leste cuarta del Nordeste, veintitrés leguas y media.

Sábado 2 de marzo.—Anduvo esta noche a su camino al Leste cuarta del Nordeste, veintiocho leguas; y el día corrió veinte leguas.

Domingo 3 de marzo.—Después del sol puesto navegó a su camino al Leste. Vínole una turbiada que le rompió todas las velas, y vídose en gran peligro, mas Dios los quiso librar. Echó suertes para enviar un peregrino diz que a Santa María de la Cinta en Huelva, que fuese en camisa, y cayó la suerte al Almirante. Hicieron todos también voto de ayunar el primer sábado que llegasen a pan y agua. Andaría sesenta millas antes que se le rompiesen las velas; después anduvieron a árbol seco, por la gran tempestad del viento y la mar que de dos partes los comía. Vieron señales de estar cerca de tierra. Hallábanse todo cerca de Lisboa.

Lunes 4 de marzo.—Anoche padecieron terrible tormenta, que se pensaron perder de las mares de dos partes que venían y los vientos que parecía que levantaban la carabela en los aires y agua del cielo y relámpagos de muchas partes; plugo a Nuestro Señor de lo sostener, y anduvo así hasta la primera guardia, que Nuestro Señor le mostró tierra, viéndola los marineros. Y entonces, por no llegar a ella hasta conocella, por ver si hallaba algún puerto o lugar donde se salvar, dio el papahigo por no tener otro remedio y andar algo, aunque con gran peligro, haciéndose a la mar; y así los guardó Dios hasta el día que diz que fue con infinito trabajo y espanto. Venido el día, conoció la tierra, que era la Roca de Cintra, que es junto con el río de Lisboa, adonde determinó entrar, porque no podía hacer otra cosa: tan terrible era la tormenta que hacía en la villa de Cascaes, que es a la entrada del río. Los del pueblo diz que estuvieron toda aquella mañana haciendo plegarias por ellos, y, después que estuvo dentro, venía la gente a verlos por maravilla de cómo habían escapado; y, así, a hora de tercia vino a pasar a Rastelo dentro del río de Lisboa, donde supo de la gente de la mar que jamás hizo invierno de tantas tormentas y que se habían perdido veinticinco naos en Flandes y otras estaban allí que había cuatro meses que no habían podido salir. Luego escribió el Almirante al Rey de Portugal, que estaba a nueve leguas de allí, cómo los Reyes de Castilla le habían mandado que no dejase de entrar en los puertos de Su Alteza a pedir lo que hobiese menester por sus dineros, y que el Rey le mandase dar lugar para ir con la carabela a la ciudad de Lisboa, porque algunos ruines, pensando que traía mucho oro, estando en puerto despoblado, se pusiesen a cometer alguna ruindad, y también porque supiese que no venía de Guinea, sino de las Indias.

Martes 5 de marzo.—Hoy, después que el patrón de la nao grande del Rey de Portugal, la cual estaba también surta en Rastelo y la más bien artillada de artillería y armas que diz que nunca nao se vido, vino el patrón de ella, que se llamaba Bartolomé

Díaz de Lisboa, con el batel armado a la carabela, y dijo al Almirante que entrase en el batel para ir a dar cuenta a los hacedores del Rey e al capitán de la dicha nao. Respondió el Almirante que el era Almirante de los Reyes de Castilla y que no daba él tales cuentas a tales personas, ni saldría de las naos ni navíos donde estuviese si no fuese por fuerza de no poder sufrir las armas. Respondió el patrón que enviase al maestre de la carabela. Dijo el Almirante que ni al maestre ni a otra persona si no fuese por fuerza, porque en tanto tenía el dar persona que fuese como ir él, y que ésta era la costumbre de los almirantes de los Reyes de Castilla, de antes morir que se dar ni dar gente suya. El patrón se moderó y dijo que, pues estaba en aquella determinación, que fuese como él quisiese; pero que le rogaba que le mandase mostrar las cartas de los Reyes de Castilla si las tenía. Al Almirante plugo de mostrárselas, y luego se volvió a la nao e hizo relación al capitán, que se llamaba Alvaro Dama, el cual, con mucha orden, con atables y trompetas y añafiles, haciendo gran fiesta, vino a la carabela y habló con el Almirante y le ofreció de hacer todo lo que le mandase.

Miércoles 6 de marzo.—Sabido cómo el Almirante venía de las Indias, hoy vino tanta gente a verlo y a ver los indios, de la ciudad de Lisboa, que era cosa de admiración, y las maravillas que todos hacían, dando gracias a Nuestro Señor y diciendo que, por la gran fe que los Reyes de Castilla tenían y deseo de servir a Dios, que Su Alta Majestad los daba todo esto.

Jueves 7 de marzo.—Hoy vino infinitísima gente a la carabela y muchos caballeros, y entre ellos los hacedores del Rey, y todos daban infinitísimas gracias a Nuestro Señor por tanto bien y acrecentamiento de la Cristiandad que Nuestro Señor había dado a los Reyes de Castilla, el cual diz que apropiaban porque Sus Altezas se trabajaban y ejercitaban en el acrecentamiento de la religión de Cristo.

Viernes 8 de marzo.—Hoy recibió el Almirante una carta del Rey de Portugal con D. Martín de Noroña, por la cual le rogaba que se llegase adonde él estaba, pues el tiempo no era para partir con la carabela; y así lo hizo por quitar sospecha, puesto que no quisiera ir, y fue a dormir a Sacanben. Mandó al Rey a sus hacedores que todo lo que hobiese el Almirante menester y su gente y la carabela se lo diese sin dineros y se hiciese todo como el Almirante quisiese.

Sábado 9 de marzo.—Hoy partió de Sacanben para ir adonde el Rey estaba, que era el valle del Paraíso, nueve leguas de Lisboa: porque llovió no pudo llegar hasta la noche. El Rey le mandó recibir a los principales de su casa muy honradamente, y el Rey también les recibió con mucha honra y le hizo mucho favor y mandó sentar y habló muy bien, ofreciéndole que mandaría hacer todo lo que a los Reyes de Castilla y a su servicio compliese complidamente y más que por cosa suya; y mostró haber mucho placer del viaje haber habido buen término, y se haber hecho, más que entendía que en la capitulación que había entre los Reyes y él que aquella conquista le pertenecía. A lo cual respondió el Almirante que no había visto la capitulación ni sabía otra cosa sino que los Reyes le habían mandado que no fuese a la mina ni en toda Guinea, y que así se había mandado a pregonar en todos los puertos del Andalucía antes que para el viaje partiese. El Rey graciosamente respondió que tenía él por cierto que no habría en esto menester terceros. Diole por huésped al prior del Clato, que era la más principal persona que allí estaba, del cual el Almirante recibió muy muchas honras y favores.

Domingo 10 de marzo.—Hoy, después de misa, le tornó a decir el Rey si había menester algo que luego se le daría, y departió mucho con el Almirante sobre su viaje, y siempre le mandaba estar sentado y hacer mucha honra.

Lunes 11 de marzo.—Hoy se despidió del Rey, e le dijo algunas cosas que dijese de su parte a los Reyes, mostrándole siempre mucho amor. Partióse después de comer, y envió con él a D. Martín de Noroña, y todos aquellos caballeros le vinieron a acompañar y hacer honra buen rato. Después vino a un monasterio de San Antonio, que es sobre un lugar que se llama Villafranca, donde estaba la Reina; y fuele a hacer reverencia y besarle las manos, porque le había enviado a decir que no se fuese hasta que la viese, con la cual estaba el Duque y el Marqués, donde recibió el Almirante mucha honra. Partióse de ella el Almirante de noche, y fue a dormir a Llandra.

Martes 12 de marzo.—Hoy, estando para partir de Llandra para la carabela, llegó un escudero del Rey que le ofreció de su parte que si quisiese ir a Castilla por tierra que aquél fuese con él para lo aposentar y mandar dar bestias y todo lo que hobiese menester. Cuando el Almirante de él se partió, le mandó dar una mula y otra a su piloto, que llevaba consigo, y diz que al piloto mandó hacer merced de veinte espadines, según supo el Almirante. Todo diz que se decía que lo hacía porque los Reyes lo supiesen. Llegó a la carabela en la noche.

Miércoles 13 de marzo.—Hoy a las ocho horas, con la marea de ingente y el viento Nornorueste, levantó las anclas y dio la vela para ir a Sevilla.

Jueves 14 de marzo.—Ayer, después del sol puesto, siguió su camino al Sur, y antes del sol salido se halló sobre el Cabo de San Vicente, que es en Portugal. Después navegó al Leste para ir a Saltes, y anduvo todo el día con poco viento hasta agora que está sobre Furón.

Viernes 15 de marzo.—Ayer, después del sol puesto, navegó a su camino hasta el día con poco viento, y al salir del sol se halló sobre Saltes, y a hora de medio día, con la marea de montante, entró por la barra de Saltes hasta dentro del puerto de donde había partido a 3 de agosto del año pasado. Y así dice él que acababa agora esta escriptura, salvo que estaba de propósito de ir a Barcelona por la mar, en la cual ciudad le daban nuevas que Sus Altezas estaban, y esto para les hacer relación de todo su via-

je que Nuestro Señor le había dejado hacer y le
quiso alumbrar en él. Porque ciertamente, allende
que él sabía y tenía firme y fuerte sin escrúpulo que
Su Alta Majestad hace todas las cosas buenas y que
todo es bueno salvo el pecado y que no se puede
abalar ni pensar cosa que no sea con su consenti-
miento, «esto de este viaje conozco —dice el Almirante— que milagrosamente lo ha mostrado así,
como se puede comprender por esta escriptura por
muchos milagros señalados que ha mostrado en el
viaje, y de mí que ha tanto tiempo que estoy en la
Corte de Vuestras Altezas con opósito y contra sentencia de tantas personas principales de vuestra
casa, los cuales todos eran contra mí poniendo este
hecho que era burla. El cual espero en Nuestro
Señor que será la mayor honra de la Cristianidad
que así ligeramente haya jamás aparecido». Estas
son finales palabras del Almirante D. Cristóbal Colón de su primer viaje a las Indias y al descubrimiento de ellas.

EL SEGUNDO VIAJE

*Memorial que para los Reyes Católicos dio el
Almirante a don Antonio de Torres*

Lo que vos, Antonio de Torres, capitán de la nao
Marigalante e alcaide de la ciudad Isabela, habéis
de decir e suplicar de mi parte al Rey e la Reina
Nuestros Señores es lo siguiente:

Primeramente, dadas las cartas de creencia que
lleváis de mí para Sus Altezas, besaréis por mí sus
reales pies e manos, e me encomendaréis en Sus
Altezas como a Rey e Reina mis Señores naturales,
en cuyo servicio yo deseo fenecer mis días, como
esto más largamente vos podréis decir a Sus Altezas, según lo que en mí vistes e supistes.

Ítem: Como quiera que por las cartas que a Sus
Altezas escribo y aun el Padre Fray Buil y el Tesorero, podrán comprender todo lo que acá después de
nuestra llegada se fizo, y esto harto por menudo y
extensamente; con todo, diréis a Sus Altezas de mi
parte que a Dios ha placido darme tal gracia para en
su servicio, que hasta aquí no hallo yo menos ni se
ha hallado en cosa alguna de lo que escribí y dije y
afirmé a Sus Altezas en los días pasados, antes, por
gracia de Dios, espero que aún muy más claramente
y muy presto por la obra parecerá, porque las cosas
de especería en solas las orillas de la mar, sin haber
entrado dentro en la tierra, se halla tal rastro e prin-
cipios de ella, que es razón que se esperen muy mejores fines, y esto mismo en las minas del oro, porque con solos dos que fueron a descubrir cada una
por su parte, sin detenerse allá porque era poca
gente, se ha descubierto tantos ríos tan poblados de

oro que cualquier de los que lo vieron cogieron solamente con las manos por muestra vinieron tan alegres y dicen tantas cosas de la abundancia de ello
que yo tengo empacho de las decir y escribir a Sus
Altezas; pero, porque allá va Gorbalán, que fue uno
de los descubridores, él dirá lo que vio, aunque acá
queda otro que llaman Hojeda, criado del Duque de
Medinaceli, muy discreto mozo y de muy buen recabdo, que sin duda y aun sin comparación descubrió mucho más, según el memorial de los ríos que
él trajo, diciendo que en cada uno de ellos hay cosa
de no creella; por lo cual Sus Altezas pueden dar
gracias a Dios, pues tan favorablemente se ha en
todas sus cosas.

Ítem: Diréis a Sus Altezas, como quier que ya se
les escribe, que yo deseaba mucho en esta armada
poderles enviar mayor cantidad de oro del que acá
se espera poder coger, si la gente que acá está nuestra, la mayor parte súbitamente no cayera doliente;
pero, porque ya esta armada non se podía detener
acá más, siquiera por la costa grande que hace, siquiera porque el tiempo es éste propio para ir y
poder volver los que han de traer acá las cosas que
aquí hacen mucha mengua, porque si tardasen de
irse de aquí non podrían volverse para mayo los que
han de volver, y, allende de esto, si con los sanos
que acá se hallan, así en mar como en tierra en la
población, yo quisiera emprender de ir a las minas
o ríos agora, había muchas dificultades e aun peligros, porque de aquí a veintitrés o veinticuatro leguas, en donde hay puertos e ríos para pasar y para
tan largo camino y para estar allá el tiempo que
sería menester para coger el oro, había menester llevar muchos mantenimientos, los cuales non podían
llevar a cuestas, ni hay bestias acá que a esto pudiesen suplir, ni los caminos e pasos non están tan apa-
rejados, como quier que se han comenzado a adobar
para que se podiesen pasar; y también era grande
inconveniente dejar acá los dolientes en lugar abier-
to y chozas, y las provisiones y mantenimientos que
están en tierra, que, como quier que estos indios se
hayan mostrado a los descubridores y se muestran
cada día muy simples y sin malicia, con todo, porque

cada día vienen acá entre nosotros, non pareció que
fuera buen consejo meter a riesgo y a ventura de
perderse esta gente y los mantenimientos, lo que un
indio con un tizón podría hacer poniendo fuego a las
chozas, porque de noche y de día siempre van y vienen; a causa de ellos tenemos guardas en el campo
mientras la población está abierta y sin defensión.

Otrosí: Como habemos visto en los que fueron por
tierra a descobrir que los más cayeron dolientes después de vueltos y aun algunos se hobieron de volver
del camino, era también razón de temer que otro tal
conteciese a los que agora irían de estos sanos que
se hallan, y seguirse hían dos peligros de allí, el uno
de adolecer allá en la misma obra do no hay casa ni
reparo alguno de aquel cacique que llaman Caonabó,
que es hombre, según relación de todos, muy malo y
muy más atrevido, el cual viéndonos allá así desbaratados y dolientes, podría emprender lo que non
osaría si fuésemos sanos; y con esto mismo se allega
otra dificultad de traer acá lo que llegásemos de oro,
porque o habíamos de traer poco y ir y venir cada
día y meterse en el riesgo de las dolencias o se había de enviar con alguna parte de la gente con peligro de perderlo.

Así que diréis a Sus Altezas que éstas son las cab-
sas porque de presente non se ha detenido el armada, ni se les envía oro más de las muestras; pero,
confiando en la misericordia de Dios, que en todo y
por todo nos ha guiado hasta aquí, esta gente con-
valescerá presto, como ya lo hace, porque solamente
les aprueba la tierra de algunas secciones y luego se
levantan, y es cierto que si toviesen algunas carnes
frescas para convalescer, muy presto serían todos en
pie, con ayuda de Dios, e aún los más estarían ya
convalescidos en este tiempo; empero, que ellos con-
valescerán. Con estos pocos sanos que acá quedan,
cada día se entienden en cerrar la población y me-
terla en alguna defensa y los mantenimientos en
seguro, que será fecho en breves días, porque non
ha de ser sino albarradas, que non son gente los
indios que si dormiendo non nos fallasen, para emprender cosa ninguna, aunque lo toviesen pensada;
que así hicieron a los otros que acá quedaron por

su mal recabdo, los cuales, por pocos que fuesen y por mayores ocasiones que dieran a los indios de haber e de hacer lo que hicieron, nunca ellos osaran emprender de dañarles si lo vieran a buen recado. Y esto fecho, luego se entenderá en ir a los dichos ríos, o desde aquí tomando el camino y buscando los mejores expedientes que se puedan o por la mar rodeando la isla fasta aquella parte de donde se dice que no debe haber más de seis o siete leguas hasta los dichos ríos, por forma que con seguridad se pueda coger el oro y ponerlo en recabdo de alguna fortaleza o torre que allí se haga luego, para tenerlo cogido al tiempo que las dos carabelas volverán acá, e para que luego, con el primer tiempo que sea para navegar este camino, se envíe a buen recabdo.

Ítem: Diréis a Sus Altezas, como dicho es, que las causas de las dolencias tan general de todos es de mudamiento de aguas y aires, porque vemos que a todos arreo se extiende y peligran pocos; por consiguiente, la conservación de la santidad, después de Dios, está que esta gente sea proveída de los mantenimientos que en España acostumbraba, porque de ellos ni de otros que viniesen de nuevo Sus Altezas se podrán servir si no están sanos. Y esta provisión ha de durar hasta que acá se haya fecho cimiento de lo que acá se sembrare e plantare, digo de trigos y cebadas e viñas, de lo cual para este año se ha fecho poco, porque no se pudo de antes tomar asiento y luego que se tomó adolescieron aquellos poquitos labradores que acá estaban, los cuales, aunque estovieran sanos, tenían tan pocas bestias y tan magras y flacas que poco es lo que pudieran hacer. Con todo, alguna cosa han sembrado, más para probar la tierra, que parece muy maravillosa, para que de allí se pueda esperar remedio alguno en nuestras necesidades. Somos bien ciertos, como la obra lo muestra, que en esta tierra así el trigo como el vino nacerá muy bien; pero hase de esperar el fruto, el cual si tal será como muestra la presteza del nacer del trigo y de algunos poquitos de sarmientos que se pusieron, es cierto que non fará mengua el Andalucía ni Sicilia aquí, ni en las cañas de azúcar, según unas poquitas que se pusieron han prendido; porque es cierto que la hermosura de la tierra de estas islas, así de montes e sierras y aguas, como de vegas donde hay ríos cabdales, es tal la vista que ninguna otra tierra que sol escaliente puede ser mejor al parecer ni tan fermosa.

Ítem. Diréis que a cabsa de haberse derramado mucho vino en este camino del que la flota traía, y esto, según dicen los más, a culpa de la mala obra que los toneleros ficieron en Sevilla, la mayor mengua que agora tenemos aquí o esperamos por esto tener es de vinos, y como quier que tengamos para más tiempo así bizcocho como trigo, con todo, es necesario que también se envíe alguna cantidad razonable porque el camino es largo y cada día no se puede proveer, e asimismo algunas canales, digo tocinos, y otra cecina que sea mejor que la que habemos traído este camino. De carneros vivos y aun antes corderos y cordericas, más fembras que machos, y algunos becerros y becerras pequeños son menester, que cada vez vengan en cualquier carabela que acá se enviare, y algunas asnas y asnos y yeguas para trabajo y simiente, que acá ninguna de estas animalias hay de que hombre se pueda ayudar ni valer. Y porque recelo que Sus Altezas no se fallarán en Sevilla, ni los oficiales o ministros suyos sin expreso mandamiento nos proveerían en lo porque ahora con este primero camino es necesario que venga, porque en la consulta y en la respuesta se pasaría la sazón del partir los navíos que acá por todo mayo es necesario que sean, diréis a Sus Altezas cómo yo vos di cargo y mandé que del oro que allá lleváis, empeñándolo o poniéndolo en poder de algún mercader en Sevilla, el cual distraya y ponga los maravedís que serían menester para cargar dos carabelas de vino y de trigo y de las otras cosas que lleváis por memorial, el cual mercader lleve o envíe el dicho oro para Sus Altezas, que le vean, reciban y hagan pagar lo que hobiere distraído e puesto para el despacho y cargazón de las dichas dos carabelas, las cuales, por consolar y esforzar esta gente que acá queda, cumple que fagan más de poder de ser acá vueltas por todo el mes de mayo, porque la gente antes de entrar en el verano vea e tenga algún refrescamiento de estas cosas, en especial para las dolencias; de las cuales cosas acá ya tenemos gran mengua, como son pasas, azúcar, almendras, miel e arroz, que debiera venir en gran cuantidad y vino muy poca e aquello que vino es ya consumido e gastado, y aun la mayor parte de las medecinas que de allá trojieron, por la muchedumbre de los muchos dolientes: de las cuales cosas, como dicho es, vos lleváis memoriales así para sanos como para dolientes, firmados de mi mano, los cuales cumplidamente, si el dinero bastare o a lo menos lo que más necesario sea para agora despachar, es para que lo puedan luego traer los dichos dos navíos, y lo que quedare procuraréis con Sus Altezas que con otros navíos vengan lo más presto que ser pudiere.

Ítem: Diréis a Sus Altezas que a cabsa que acá no hay lengua por medio de la cual a esta gente se pueda dar a entender nuestra santa fe, como Sus Altezas desean, y aun los que acá estamos, como quier que se trabajará cuanto pudieren, se envían de presente con estos navíos así de los caníbales, hombres y mujeres y niños y niñas, los cuales Sus Altezas pueden mandar poner en poder de personas con quien puedan mejor aprender la lengua, ejercitándolos en cosas de servicio y poco a poco mandando poner en ellos algún más cuidado que en otros esclavos, para que deprendan unos de otros, que no se hablen ni se vean sino muy tarde, que más presto deprenderán allá que no acá y serán mejores intérpretes, como quier que acá non se dejará de hacer lo que se pueda. Es verdad que como esta gente platican poco los de una isla con los de la otra, en las lenguas hay alguna diferencia entre ellos, según como están más cerca o más lejos, y porque entre las otras islas las de los caníbales son mucho grandes y mucho bien pobladas, parecerá acá que tomar de ellos y de ellas y enviarlos allá a Castilla non sería sino bien, porque quitarse hían una vez de aquella inhumana costumbre que tienen de comer hombres, y allá en Castilla, entendiendo la lengua, muy más presto recibirían el bautismo y farían el provecho de sus ánimas. Aun entre estos pueblos que no son de esas costumbres se ganaría gran crédito por nosotros, viendo que aquéllos prendiésemos y cativásemos de quien ellos suelen recibir daños y tienen tamaño miedo que del hombre sólo se espantan; certificando a Sus Altezas que la venida e vista de esta flota acá en esta tierra, así junta y hermosa, ha dado muy grande autoridad a esto y muy grande seguridad para las cosas venideras, porque toda esta gente de esta grande isla y de las otras, viendo el buen tratamiento que a los buenos se fará y el castigo que a los malos se dará, verná a obediencia y prestamente para poderlos mandar como vasallos de Sus Altezas. Y, como quier que ellos agora, donde quier que hombres se hallen non sólo hacen de grado lo que hombre quiere que fagan, mas ellos de su voluntad se ponen a todo lo que entienden que nos puede placer, y también pueden ser ciertos Sus Altezas que non menos allá, entre los cristianos príncipes haber dado gran reputación la venida de esta armada por muchos respetos, así presentes como venideros, los cuales Sus Altezas podrán mejor pensar y entender que non sabría decir.

Ítem: Diréis a Sus Altezas que el provecho de las almas de los dichos caníbales y aun de estos de acá ha traído el pensamiento que cuantos más allá se llevasen sería mejor, y en ello podrían Sus Altezas ser servidos de esta manera: que, visto cuánto son acá menester los ganados y bestias de trabajo para el sostenimiento de la gente que acá ha de estar y bien de todas estas islas. Sus Altezas podrán dar licencia e permiso a un número de carabelas suficiente que vengan acá cada año y trayan de los dichos ganados y otros mantenimientos y cosas para poblar el campo y aprovechar la tierra, y esto en precios razonables a sus costas de los que las trugieren, las cuales cosas se les podrían pagar en esclavos de estos caníbales, gente tan fiera y dispuesta y bien proporcionada y de muy buen entendimiento, los cuales, quitados de aquella inhumanidad, creemos que serán mejores que otros ningunos esclavos, la cual luego perderán que sean fuera de su tierra, y de estos podrán haber muchos con las fustas de remos que acá se entienden de hacer, fecho, empero, presupuesto que cada una de las carabelas que viniesen de Sus Altezas pusiesen una persona fiable, la cual defendiese las dichas carabelas que non descendiesen a ninguna otra parte ni isla salvo aquí, donde ha de estar la carga y descarga de toda la mercadería; y aun de estos esclavos que se llevaren, Sus Altezas podrían haber sus derechos allá. Y de esto traeréis o enviaréis respuesta, porque acá se hagan los aparejos que son menester con más confianza, si a Sus Altezas pareciese bien.

Ítem: También diréis a Sus Altezas que más provechoso es y menos costa fletar los navíos como los fletan los mercaderes para Flandes, por toneladas, que non de otra manera; por ende que yo vos di cargo de fletar a este respecto las dos carabelas que habéis luego de enviar: y así se podrá hacer de todas las otras que Sus Altezas enviaren, si de aquella forma se ternán por servidos. Pero non entiendo decir esto de las que han de venir con su licencia por la mercaduría de los esclavos.

Ítem: Diréis a Sus Altezas que, a causa de excusar alguna más costa, yo merqué estas carabelas que lleváis por memorial para retenerlas acá con estas dos naos, conviene a saber: la *Gallega* y esa otra *Capitana*, de la cual merqué por semejante del maestro de ella los tres ochavos por el precio que en el dicho memorial de estas copias lleváis firmado de mi mano; los cuales navíos non sólo darán autoridad y gran seguridad a la gente que ha de estar dentro y conversar con los indios para coger el oro, mas aún para otra cualquier cosa de peligro que de esta gente extraña pudiese acontecer, allende que las carabelas son necesarias para descubrir tierra firme y otras islas que entre aquí e allá están. Y suplicaréis a Sus Altezas que los maravedís que estos navíos cuestan, manden pagar en los tiempos que se les ha prometido, porque sin dubda ellos ganarán bien su costa, según yo creo y espero en la misericordia de Dios.

Ítem: Diréis a Sus Altezas y suplicaréis de mi parte cuanto más humildemente pueda, que les plega mucho mirar en lo que por las cartas y otras escripturas verán más largamente tocante a la paz e sosiego e concordia de los que acá están, y que para las cosas del servicio de Sus Altezas escojan tales personas que non se tenga recelo de ellas y que miren más a lo porque se envían que son a sus propios intereses. Y en esto, pues que todas las cosas vistes e supistes, hablaréis e diréis a Sus Altezas la verdad de todas las cosas como las comprendisteis; y que la provisión de Sus Altezas que sobre ello mandaren facer vengan con los primeros navíos si posible fuere, a fin que acá non se hagan escándalos en cosa que tanto va en el servicio de Sus Altezas.

Ítem: Diréis a Sus Altezas el asiento de esta ciudad e la fermosura de la provincia alrededor como lo vistes y comprendistes, y cómo yo vos hice alcaide de ella por los poderes que de Sus Altezas tengo para ello, a las cuales humildemente suplico que, en alguna parte de satisfacción de vuestros servicios, tengan por bien la dicha provisión, como de Sus Altezas yo espero.

Ítem: Porque Mosén Pedro Margarite, criado de Sus Altezas, ha bien servido y espero que así lo hará adelante en las cosas que le fueren encomendadas, he habido placer de su quedada aquí, y también de Gaspar y de Beltrán, por ser conocidos criados de Sus Altezas, para los poner en cosas de confianza. Suplicaréis a Sus Altezas que especial al dicho Mosén Pedro, que es casado y tiene hijos, le provean de alguna encomienda en la orden de Santiago, de la cual él tiene el hábito, porque su mujer e hijos tengan en qué vivir. Asimismo haréis relación de Juan Aguado, criado de Sus Altezas, cuán bien e diligentemente ha servido en todo lo que le ha seído mandado; que suplico a Sus Altezas a él e a los sobredichos los hayan por encomendados e por presentes.

Ítem: Diréis a Sus Altezas el trabajo que el Doctor Chanca tiene con el afruenta de tantos dolientes, y aun la estructura de los mantenimientos e aun con todo ello se dispone con gran diligencia y caridad en todo lo que cumple a su oficio. Y porque Sus Altezas remitieron a mí el salario que acá se le había de dar, porque estando acá es cierto que él non toma ni puede haber nada de ninguno ni ganar de su oficio como en Castilla ganaba o podría ganar estando a su reposo e viviendo de otra manera que acá no vive; y así que, como quiera que él jura que es más lo que allá ganaba allende el salario que Sus Altezas le dan y non me quise extender más de cincuenta mil maravedís por el trabajo que acá pasa cada año mientras acá estoviere, los cuales suplico a Sus Altezas le manden librar con el sueldo de acá, y eso mismo porque él dice y afirma que todos los físicos de Vuestras Altezas que andan en reales o semejantes cosas que éstas suelen haber de derecho un día de sueldo en todo el año de toda la gente; con todo, he seído informado y dícenme que, como quier que esto sea, la costumbre es de darles cierta suma tasada a voluntad y mandamiento de Sus Altezas en compensa de aquel día de sueldo. Suplicaréis a Sus Altezas que en el o manden proveer, así en lo del salario como de esta costumbre, por forma que el dicho doctor tenga razón de ser contento.

Ítem: Diréis a Sus Altezas de Coronel, cuánto es hombre para servir a Sus Altezas en muchas cosas y cuánto ha servido hasta aquí en todo lo más necesario y la mengua que de él sentimos agora que está doliente, y que, sirviendo de tal manera, es razón que él sienta el fruto de su servicio, non sólo en las mercedes para después más en lo de su salario en lo presente, en manera que él e los que acá están sientan que les aprovecha el servicio, porque, según el ejercicio que acá se ha de tener en coger este oro, no son de tener en poco las personas en quien tanta diligencia hay; y porque por su habilidad se proveyó acá por mí del oficio de alguacil mayor de estas Indias y en la provisión va el salario en blanco, suplico a Sus Altezas gelo manden henchir como más sea su servicio, mirando sus servicios, confirmándole la provisión que acá se le dio e proveyéndole de él de juro.

Asimismo diréis a Sus Altezas cómo aquí vino el Bachiller Gil García por alcalde mayor e non se le ha consignado ni nombrado salario, y es persona de bien y de buenas letras e diligente, e es acá bien necesario; que suplico a Sus Altezas le manden nombrar e consignar su salario, por manera que él se pueda sostener, e le sea librado con el dinero del sueldo de acá.

Ítem: Diréis a Sus Altezas, como quier que ya se lo escribo por las cartas, que para este año non entiendo que sea posible ir a descobrir hasta que esto de estos ríos que se hallaron de oro sea puesto en el asiento debido a servicio de Sus Altezas, que después mucho mejor se podrá facer, porque no es cosa que nadie la podiese facer sin mi presencia a mi grado ni servicio de Sus Altezas, por bien que lo ficiese, como es en dubda según lo que hombre ve por su presencia.

Ítem: Diréis a Sus Altezas cómo los escuderos de caballo que vinieron de Granada, en el alarde que ficieron en Sevilla mostraron buenos caballos, e después, al embarcar, yo no lo vi, porque estaba un poco doliente, y metiéronlos tales que el mejor de ellos non parece que vale dos mil maravedís, porque vendieron los otros y compraron éstos, y esto fue de la suerte que se hizo lo de mucha gente que allá en los alardes de Sevilla yo vi muy buena. Parece que Juan de Soria, después de dado el dinero del sucido, por algún interés suyo puso otros en lugar de aquellos que yo acá pensaba fallar, y fallo gente que yo nunca había visto. En esto ha habido gran maldad, de tal manera que yo no sé si me queje de él solo: por esto, visto que a estos escuderos se ha fechado la costa hasta aquí allende de su sueldos, y también a sus caballos, y se hace de presente y son personas que cuando ellos están dolientes o non se les antoja, non quieren que sus caballos sirvan sin ellos mismos; Sus Altezas no quieren que se les compren estos caballos sino que sirven a Sus Altezas, y esto mismo no les parece que deban servir ni cosa ninguna sino a caballo, lo cual agora de presente non face mucho al caso, e por esto parece que sería mejor comprarles los caballos, pues que tan poco valen, y non estar cada día con ellos en estas pendencias. Por ende, que Sus Altezas determinen esto como fuere su servicio.

Ítem: Diréis a Sus Altezas cómo aquí han venido más de doscientas personas sin sueldo y hay algunos de ellos que sirven bien, y aun los otros por semejantes se mandan que lo hagan así, y porque para estos primeros tres años será gran bien que aquí estén mil hombres para asentar y poner en muy gran seguridad esta isla y ríos de oro, y aunque hobiese ciento de caballo non se perdería nada, antes parece necesario, aunque en estos de caballo, fasta que oro se envíe, Sus Altezas podrán sobreseer. Con todo, a estas doscientas personas que vienen sin sueldo, Sus Altezas deben enviar a decir si se les pagará sueldo como a los otros sirviendo bien, porque cierto son necesarios, como dicho tengo, para este comienzo.

Ítem: Porque en algo la costa de esta gente se puede aliviar con industria y formas que otros príncipes suelen tener en otras, lo gastado mejor que acá se podría excusar parece que sería bien mandar traer en los navíos que vinieren, allende de las otras cosas que son para los mantenimientos comunes y de la botica, zapatos y cueros para los mandar facer, camisas comunes y de otras, jubones, lienzo, sayos, calzas, paños para vestir en razonables precios y otras cosas, como son conservas, que son fuera de ración y para conservación de la salud, las cuales cosas todas la gente de acá recibiría de grado en descuento de su sueldo; y si allá esto se mercase por ministros leales y que mirasen al servicio de Sus Altezas, se ahorraría algo. Por ende, sabréis la voluntad de Sus Altezas cerca de esto, y si les pareciere ser su servicio, luego se debe poner en obra.

Ítem: También diréis a Sus Altezas que, por cuanto ayer en el alarde que se tomó se falló la gente muy desarmada, lo cual pienso que en parte conteció por aquel trocar que allá se fizo en Sevilla o en el puerto cuando se dejaron los que se mostraron armados y tomaron otros que daban algo a quien los trocaba, parece que sería bien que se mandasen traer doscientas corazas y cien espingardas y cien ballestas y almacén, que es la cosa que más menester habemos, y de todas estas armas se podrán dar a los desarmados.

Ítem: Por cuanto algunos oficiales que acá vinieron, como son albañiles y de otros oficios, que son casados y tienen sus mujeres allá y querrían que

allá lo que se les debe de su sueldo se diesen a sus
mujeres o a las personas a quien ellos enviaren sus
recabdos, para que les compren las cosas que acá
han menester, que a Sus Altezas suplico les mande
librar, porque su servicio es que éstos estén proveí-
dos acá.

Ítem: Porque, allende las otras cosas que allá se
envían a pedir por los memoriales que lleváis de mi
mano firmados, así para el mantenimiento de los
sanos como para los dolientes, sería muy bien que
se hobiesen de la isla de la Madera cincuenta pipas
de miel de azúcar, porque es el mejor mantenimiento del mundo y más sano y non suele costar cada
pipa sino a dos ducados sin el casco; y si Sus Altezas mandan que a la vuelta pase por allí alguna carabela, las podrá mercar, y también diez cajas de
azúcar que es mucho menester, que ésta es la mejor
sazón del año, digo entre aquí e el mes de abril, para
fallarlo e haber de ello buena razón y podríase dar
orden mandándolo Sus Altezas e que non supiesen
allá para donde lo quieren.

Ítem: Diréis a Sus Altezas, por cuanto, aunque los
ríos tengan en la cuantidad que se dice por los que
lo han visto, pero que lo cierto de ello es que el oro
non se engendra en los ríos mas en la tierra, que el
agua topando con las minas lo trae envuelto en las
arenas, y porque en estos tantos ríos se han descubierto, como quiera que hay algunos grandecitos,
hay otros tan pequeños que son más fuentes que
no ríos, que non llevan de dos dedos de agua, y se
falla luego el cabo donde nace, para lo cual non sólo
serán provechosos los lavadores para cogerlo en el
arena, mas los otros para cavarlo en la tierra, que
será lo más especial e de mayor cuantidad. E por
esto será bien que Sus Altezas envíen lavadores e de
los que andan en las minas allá en Almadén, porque en la una manera y en la otra se faga el ejercicio, como quier que acá non esperaremos a ellos,
que con los lavadores que aquí tenemos esperamos,
con la ayuda de Dios, si una vez la gente está sana,
allegar un buen golpe de oro para las primeras carabelas que fueren.

Ítem: Suplicaréis a Sus Altezas de mi parte muy

humildemente que quieran tener por muy encomendado a Villacorta, el cual, como Sus Altezas saben, ha mucho servido en esta negociación y con muy buena voluntad, y, según le conozco, persona diligente y afecionada a su servicio. Recebiré merced que se le dé algún cargo de confianza para lo cual él sea suficiente y pueda mostrar su deseo de servir y diligencia; y esto procuraréis por forma que el Villacorta conozca por la obra que lo que ha trabajado por mí en lo que yo le hobe menester le aprovecha en esto.

Ítem: Que los dichos Mosén Pedro y Gaspar y Beltrán y otros que han quedado acá trajieron capitanías de carabelas, que son agora vueltas, y non gozan del sueldo; pero, porque son tales personas que se han de poner en cosas principales y de confianza, non se les ha determinado el sueldo que sea diferenciado de los otros, suplicaréis de mi parte a Sus Altezas determinen lo que se les ha de dar en cada un año o por meses, como más fueren servidos. Fecho en la ciudad Isabella, a 30 días de enero de 1499 años.

EL TERCER VIAJE

Carta del Almirante a los Reyes Católicos

Serenísimos e muy altos e muy poderosos príncipes Rey e Reina Nuestros Señores: La Santa Trinidad movió a Vuestras Altezas a esta empresa de las Indias, y por su infinita bondad hizo a mí mensajero de ello, al cual vine con el embajada a su real conspetu, movido como a los más altos príncipes de cristianos y que tanto se ejercitaban en la fe y acrecentamiento de ella. Las personas que entendieron en ello lo tuvieron por imposible, y el caudal hacían sobre bienes de fortuna, y allí echaron el clavo. Puse en esto seis o siete años de grave pena, amostrando lo mejor que yo sabía cuánto servicio se podía hacer a Nuestro Señor en esto en divulgar su santo nombre y fe a tantos pueblos, lo cual todo era cosa de tanta excelencia y buena fama y gran memoria para grandes príncipes. Fue también necesario de hablar del temporal, adonde se les amostró el escrebir de tantos sabios dignos de fe, los cuales escribieron historias. Los cuales contaban que en estas partes había muchas riquezas, y asimismo fue necesario traer a esto el decir e opinión de aquellos que escribieron e situaron el mundo. En fin, Vuestras Altezas determinaron que esto se pusiese en obra. Aquí mostraron el grande corazón que siempre ficieron en toda cosa grande, porque todos los que habían entendido en ello y oído esta plática, todos a una mano lo tenían a burla, salvo dos frailes que siempre fueron constantes. Yo, bien que llevase fatiga, estaba bien seguro que esto no vernía a me-

nos, y estoy de contino, porque es verdad que todo
pasará y no la palabra de Dios y se complirá todo lo
que dijo; el cual tan claro habló de estas tierras por
la boca de Isaías en tantos lugares de su Escriptura,
afirmando que de España les sería divulgado su santo nombre. E partí en nombre de la Santa Trinidad,
y volví muy presto con la experiencia de todo cuanto yo había dicho en la mano. Tornáronme a enviar
Vuestras Altezas, y en poco espacio, digo, no
de *   le descubrí, por virtud divinal, trescientas y treinta y tres leguas de la tierra firme, fin de
Oriente, y setecientas islas de nombre, allende de
lo descubierto en el primero viaje, y le allané la isla
Española, que boja más que España, en que la gente
de ellas es sin cuento, y que todos le pagasen tributo. Nació allí mal decir y menosprecio de la empresa comenzada en ello, porque no había yo enviado luego los navíos cargados de oro, sin considerar la brevedad del tiempo y lo otro que yo dije de
tantos inconvenientes; y en esto, por mis pecados
o por mi salvación creo que será, fue puesto en abo-
rrecimiento y dado impedimento a cuanto yo decía
y demandaba. Por lo cual acordé de venir a Vuestras
Altezas y maravillarme de todo y mostrarles la
razón que en todo había, y les dije de los pueblos
que yo había visto, en qué o de qué se podrían salvar muchas ánimas, y les truje las obligaciones de
la gente de la isla Española, de cómo se obligaban
a pagar tributo e les tenían por sus reyes y señores,
y les truje abastante muestra de oro, y que hay mineros y granos muy grandes, y asimismo de cobre;
y les truje de muchas maneras de especerías, de
que sería largo de escrebir, y les dije de la gran
cantidad de brasil y otras infinitas cosas. Todo no
aprovechó para con algunas personas que tenían
gana y dado comienzo a mal decir del negocio ni
entrar con fabla del servicio de Nuestro Señor con
se salvar tantas ánimas, ni a decir que esto era
grandeza de Vuestras Altezas, de la mejor calidad
que hasta hoy haya usado príncipe, porque el ejercicio e gasto era para el espiritual y temporal y que

---

* Vacío en el texto original.

no podía ser que, andando el tiempo, no hobiese la
España de aquí grandes provechos, pues que se
veían las señales que escribieron de lo de estas partidas tan manifiestas, que también se llegaría a ver
todo el otro complimiento, ni a decir cosas que usa-
ron grandes príncipes en el mundo para crecer su
fama, así como de Salomón, que envió desde Hieru-
salén en fin de Oriente a ver el monte Sopora, en
que se detovieron los navíos tres años, el cual tienen Vuestras Altezas agora en la isla Española; ni
de Alejandre, que envió a ver el regimiento de la
isla de Trapobana en India, y Nero César a ver las
fuentes del Nilo y la razón porque crecían en el
verano, cuando las aguas son pocas, y otras muchas
grandezas que hicieron príncipes, y que a príncipes
son estas cosas dadas de hacer; ni valía decir que
yo nunca había leído que príncipes de Castilla jamás hobiesen ganado tierra fuera de ella, y que esta
de acá es otro mundo en que se trabajaron romanos
y Alejandre y griegos, para la haber con grandes
ejercicios, ni decir del presente de los Reyes de Portugal, que tovieron corazón para sostener a Guinea
y del descobrir de ella, y que gastaron oro y gente
atanta, que quien contase toda la del reino se hallaría que otra tanta como la mitad son muertos en Guinea, y todavía la continuaron hasta que les salió de
ello lo que parece, lo cual todo comenzaron de largo
tiempo y ha muy poco que les da renta; los cuales
también osaron conquistar en África y sostener la
empresa a Cepta, Tánjar y Arcilla e Alcázar y de
contino dar guerra a los moros, y todo esto con
grande gasto, sólo por hacer cosa de príncipe, servir
a Dios y acrecentar su señorío.

Cuanto yo más decía, tanto más se doblaba a poner esto a vituperio, amostrando en ello el aborre-
cimiento, sin considerar cuánto bien pareció en todo
el mundo y cuánto bien se dijo en todos los cristianos de Vuestras Altezas por haber tomado esta
empresa, que no hobo grande ni pequeño que no
quisiese de ello carta. Respondiéronme Vuestras Altezas riéndose y diciendo que yo no curase de nada,
porque no daban autoridad ni creencia a quien les
mal decía de esta empresa.

Partí en nombre de la santísima Trinidad, miércoles 30 de mayo de la Villa de San Lúcar, bien fatigado de mi viaje, que adonde esperaba descanso, cuando yo partí de estas Indias, se me dobló la pena, y navegué a la isla de la Madera por camino no acostumbrado, por evitar escándalo que pudiera tener con un armada de Francia, que me aguardaba al Cabo de San Vicente, y de allí a las islas de Canaria, de adonde me partí con una nao y dos carabelas y envié los otros navíos a derecho camino a las Indias a la isla Española. Y yo navegué al Austro con propósito de llegar a la línea equinocial y de allí seguir al Poniente hasta que la isla Española me quedase al Septentrión, y, llegado a las islas de Cabo Verde, falso nombre, porque son atán secas que no vi cosa verde en ellas y toda la gente enferma, que no osé detenerme en ellas, y navegué al Sudueste cuatrocientas y ochenta millas, que son ciento y veinte leguas, adonde, en anocheciendo, tenía la estrella del Norte en cinco grados. Allí me desamparó el viento y entré en tanto ardor y tan grande que creí que se me quemasen los navíos y gente, que todo de un golpe y no a tan desordenado que no había persona que osase descender debajo de cubierta a remediar la vasija y mantenimiento. Duró este ardor ocho días; al primer día fue claro, y los siete días siguientes llovió e hizo ñumblado, y, con todo, no fallamos remedio, que cierto si así fuera de sol como el primero, yo creo que no pudiera escapar en ninguna manera.

Acordóme que, navegando a las Indias, siempre que yo paso al Poniente de las islas de los Azores cien leguas, allí fallo mudar la temperanza, y esto es todo de Septentrión en Austro; y determiné que, si a Nuestro Señor le pluguiese de me dar viento y buen tiempo, que pudiese salir de adonde estaba, de dejar de ir más al Austro, ni volver tampoco atrás, salvo de navegar al Poniente, a tanto que ya llegase a estar con esta raya con esperanza que yo fallaría allí su temperamiento, como había fallado cuando yo navegaba en el paralelo de Canaria. E que si así fuese que entonces yo podría ir más al Austro, y plugo a Nuestro Señor que al cabo de estos ocho días de me dar buen viento Levante; y yo seguí al Poniente, mas no osé declinar abajo al Austro porque fallé grandísimo mudamiento en el cielo y en las estrellas, mas non fallé mudamiento en la temperancia. Así acordé de proseguir delante siempre justo al Poniente, en aquel derecho de la Sierra Lioa, con propósito de non mudar derrota fasta adonde yo había pensado que fallaría tierra, y allí adobar los navíos y remediar si pudiese los mantenimientos y tomar agua que no tena. Y al cabo de diez y siete días, los cuales Nuestro Señor me dio de próspero viento, martes 31 de julio a mediodía nos amostró tierra, e yo la esperaba el lunes antes, y tuve aquel camino fasta entonces, que en saliendo el sol, por defecto del agua que no tenía, determiné de andar a las Indias de los Caníbales, y tomé esa vuelta. Y como Su Alta Majestad haya siempre usado de misericordia conmigo, por acertamiento subió un marinero a la gavia y vido al Poniente tres montañas juntas. Dijimos la *Salve Regina* y otras prosas y dimos todos muchas gracias a Nuestro Señor, y después dejé el camino de Septentrión y volví hacia la tierra, adonde yo llegué a hora de completas a un cabo a que dije de la *Galea,* después de haber nombrado a la isla de la *Trinidad*; y allí hobiera muy buen puerto si fuera fondo, y había casas y gente y muy lindas tierras, atán fermosas y verdes como las huertas de Valencia en marzo. Pesóme cuando no pude entrar en el puerto, y corrí la costa de esta tierra del luengo fasta el Poniente, y, andadas cinco leguas, fallé muy buen fondo y surgí. Y en el otro día di de la vela a este camino, buscando puerto para adobar los navíos y tomar agua y remediar el trigo y los bastimentos que llevaba solamente. Allí tomé una pipa de agua y con ella anduve ansí hasta llegar al cabo, y allí fallé abrigo de Levante y buen fondo; y así mandé surgir y adobar la vasija y tomar agua y leña y descendir la gente a descansar de tanto tiempo que andaban penando.

A esta punta llamé del *Arenal,* y allí se falló toda la tierra follada de unas animalias que tenían la pata como de cabra, y bien que según parece ser allí haya muchas, no se vido sino una muerta. El día siguiente vino de hacia Oriente una grande canoa con veinticuatro hombres, todos mancebos e muy ataviados de armas, arcos y flechas y tablachinas, y ellos, como dije, todos mancebos, de buena disposición y no negros, salvo más blancos que otros que haya visto en las Indias, y de muy lindo gesto y fermosos cuerpos y los cabellos largos y llanos, cortados a la guisa de Castilla, y traían la cabeza atada con un pañuelo de algodón tejido a labores y colores, el cual creía yo que era almaizar. Otro de estos pañuelos traían ceñido e se cobijaban con él en lugar de pañetes. Cuando llegó esta canoa habló de muy lejos. Yo ni otro ninguno no los entendíamos, salvo que yo les mandaba hacer señas que se allegasen, y en esto se pasó más de dos horas, y si se llegaban un poco luego se desviaban. Yo les hacía mostrar bacines y otras cosas que lucían, por enamorarlos porque viniesen, y a cabo de buen rato se allegaron más que hasta entonces no habían, y yo deseaba mucho haber lengua y no tenía ya cosa que me pareciese que era de mostrarles para que viniesen; salvo que hice sobir un tamborín en el castillo de popa que tañasen e unos mancebos que danzasen, creyendo que se allegarían a ver la fiesta. Y, luego que vieron tañer y danzar, todos dejaron los remos y echaron mano a los arcos y los encordaron, y embrazó cada uno su tablachina y comenzaron a tirarnos flechas. Cesó luego el tañer y danzar y mandé luego sacar unas ballestas, y ellos dejáronme y fueron a más andar a otra carabela, y de golpe se fueron debajo la popa de ella, y el piloto entró con ellos y dio un sayo e un bonete a un hombre principal que le pareció de ellos, y quedó concertado que le iría hablar allí en la playa, adonde ellos luego fueron con la canoa esperándole. Y él, como no quiso ir sin mi licencia, como ellos le vieron venir a la nao con la barca, tornaron a entrar en la canoa e se fueron, e nunca más los vide ni a otros en esta isla.

Cuando yo llegué a esta punta del Arenal, allí se hace una boca grande de dos leguas de Poniente a Levante, la isla de la Trinidad con la tierra de Gracia, y que para haber de entrar dentro para pasar al Septentrión había unos hileros de corrientes que atravesaban aquella boca y traían un rugir muy grande. Y creí yo que sería un arrecife de bajos e peñas, por el cual no se podría entrar dentro en ella; y detrás de este hilero había otro y otro que todos traían un rugir grande como ola de la mar que va a romper y dar en peñas. Surgí allí a la dicha punta del Arenal, fuera de la dicha boca, y fallé que venía el agua del Oriente hasta el Poniente con tanta furia como hace Guadalquivir en tiempo de avenida, y esto de continuo noche y día, que creí que no podría volver atrás por la corriente, ni ir adelante por los bajos. Y en la noche, ya muy tarde, estando al bordo de la nao, oí un rugir muy terrible que venía de la parte del Austro hacia la nao, y me paré a mirar y vi levantando la mar de Poniente a Levante, en manera de una loma tan alta como la nao, y todavía venía hacia mí poco a poco, y encima de ella venía un filero de corriente que venía rugiendo con muy grande estrépito, con aquella furia de aquel rugir que de los otros hileros que yo dije me parecían ondas de mar que daban en peñas, que hoy en día tengo el miedo en el cuerpo que no me trabucasen la nao cuando llegasen debajo de ella; y pasó y llegó e fasta la boca, adonde allí se detuvo grandes espacio. Y el otro día siguiente envié las barcas a sondear y fallé en el más bajo de la boca que había seis o siete brazas de fondo, y de contino andaban aquellos hileros unos por entrar y otros por salir; y plugo a Nuestro Señor de me dar buen viento, y atravesé por esa boca adentro y luego hallé tranquilidad, y por acertamiento se sacó del agua de la mar y la hallé dulce, Navegué al Septentrión fasta una sierra muy alta, adonde serían veintiséis leguas de esta punta del Arenal, y allí había dos cabos de tierra muy alta, el uno de la parte del Oriente, y era de la misma isla de la Trinidad, y el otro del Occidente de la tierra que dije de Gracia, y allí hacía una boca muy angosta, más que aquella de la punta del Arenal, y allí había los mismos hileros y aquel rugir fuerte del agua como era en la punta del Arenal, y asimismo allí la mar era agua dulce. Y fasta entonces yo no había habido lengua con ninguna gente de estas tierras, y lo deseaba en gran manera, y por esto navegué al luengo de la costa de esta tierra hacia el Poniente; y cuanto más andaba hallaba el agua de la mar más dulce y más sabrosa, y andando una gran parte, llegué a un lugar donde me parecían las tierras labradas, y surgí y envié las barcas a tierra, y fallaron que de fresco se había ido de allí gente, y fallaron todo el monte cubierto de gatos paules. Volviéronse, y, como ésta fuese sierra, me pareció que más allá al Poniente las tierras eran más llanas y que allí sería poblado, y por esto sería poblado. Y mandé levantar las anclas y corrí esta costa fasta el cabo de esta sierra, y allí a un río surgí y luego vino mucha gente, y me dijeron cómo llamaron a esta tierra *Paria* y que de allí más al Poniente era más poblado. Tomé de ellos cuatro, y después navegué al Poniente, y, andadas ocho leguas más al Poniente allende una punta a que yo llamé del *Aguja*, hallé unas tierras las más hermosas del mundo y muy pobladas. Llegué allí una mañana a hora de tercia, y por ver esta verdura y esta hermosura acordé surgir y ver esta gente, de los cuales luego vinieron en canoas a la nao a rogarme de partes de su rey que descendiese en tierra. E cuando vinieron que no curé de ellos, vinieron a la nao infinitísimos en canoas, y muchos traían piezas de oro al pescuezo y algunos atados a los brazos algunas perlas: holgué mucho cuando las vi, e procuré mucho de saber dónde las hallaban, y me dijeron que allí y de la parte del Norte de aquella tierra.

Quisiera detenerme, mas estos bastimentos que yo traía, trigo y vino e carne para esta gente que acá está se me acababan de perder, los cuales hobe allá con tanta fatiga, y por esto yo no buscaba sino a más andar a venir a poner en ellos cobro y no me detener para cosa alguna. Procuré de haber de aquellas perlas y envié las barcas a tierra: esta gente es muy mucha y toda de muy buen parecer, de la misma color que los otros de antes y muy tratables. La gente nuestra que fue a tierra los hallaron tan convenibles y los recibieron muy honradamente: dicen que luego que llegaron las barcas a tierra que vinieron dos personas principales con todo el pueblo, creen que el uno el padre y el otro era su hijo, y los llevaron a una casa muy grande hecha a dos aguas y no redonda como tienda de campo, como son estas otras, y allí tenían muchas sillas adonde los ficieron asentar y otras donde ellos se asentaron; y hicieron traer pan y de muchas maneras frutas e vino de muchas maneras blanco e tinto, mas no de uvas: debe él de ser de diversas maneras, uno de una fruta y otro de otra, y asimismo debe de ser de ello de maíz, que es una simiente que hace una espiga como una mazorca, de que llevé yo allá y hay ya mucho en Castilla, y parece que aquel que lo tenía mejor lo traía por mayor excelencia y lo daba en gran precio. Los hombres todos estaban juntos a un cabo de la casa y las mujeres en otro.

Recibieron ambas las partes gran pena porque no se entendían, ellos para preguntar a los otros de nuestra patria y los nuestros por saber de la suya. E, después que hobieron recebido colación allí en casa del más viejo, los llevó el mozo a la suya, e fizo otro tanto, e después se pusieron en las barcas e se vinieron a la nao, e yo luego levanté las anclas porque andaba mucho de priesa por remediar los mantenimientos que se me perdían que yo había habido con tanta fatiga, y también por remediarme a mí que había adolescido por el desvelar de los ojos, que bien que el viaje que yo fui a descubrir la tierra firme estuviese treinta y tres días sin concebir sueño y estoviese tanto tiempo sin vista, non se me dañaron los ojos, ni se me rompieron de sangre y con tantos dolores como agora.

Esta gente, como ya dije, son todos de muy linda estatura, altos de cuerpo e de muy lindos gestos, los cabellos muy largos e llanos, y traen las cabezas atadas con unos peñuelos labrados, como ya dije, hermosos, que parecen de lejos de seda y almaizares: otro traen ceñido más largo que se cobijan con él en lugar de pañetes, ansí hombres como mujeres. La color de esta gente es más blanca que otra que haya visto en las Indias; todos traían al pescuezo y a los brazos algo a la guisa de estas tierras, y muchos traían piezas de oro bajo colgado al pescuezo. Las canoas de ellos son muy grandes y de mejor hechura que no son estas otras y más livianas, y en el medio de cada una tienen un apartamiento como cámara, en que vi que andaban los principales con sus mujeres. Llamé allí a este lugar *Jardines,* porque así conforman por el nombre. Procuré mucho de saber dónde cogían aquel oro, y todos me aseñalaban una tierra frontera de ellos al Poniente, que era muy alta, mas no lejos; mas todos me decían que no fuese allá porque allí comían los hombres, y entendí entonces que decían que eran hombres caníbales e que serían como los otros, y después he pensado que podría ser que lo decían porque allí habría animalias. También les pregunté adónde cogían las perlas, y me señalaron también que al Poniente y al Norte detrás de esta tierra donde estaban. Dejélo de probar por esto de los mantenimientos y del mal de mis ojos y por una nao grande que traigo que no es para semejante hecho.

Y como el tiempo fue breve, se pasó todo en preguntas y se volvieron a los navíos, que sería hora de vísperas, como ya dije, y luego levanté las anclas y navegué al Poniente; y asimesmo el día siguiente, fasta que me fallé que no había sinon tres brazas de fondo, con creencia que todavía ésta sería isla y que yo podría salir al Norte; y, así visto, envié una carabela sotil adelante, a ver si había salida o si estaba cerrado, y ansí anduvo mucho camino, fasta un golfo muy grande en el cual parecía que había otros cuatro medianos y del uno salía un río grandísimo: fallaron siempre cinco brazas de fondo y el agua muy dulce, en tanta cantidad que yo jamás bebíla pareja de ella. Fui yo muy descontento de ella cuando vi que no podía salir al Norte ni podía andar ya al Austro ni al Poniente, porque yo estaba cercado por todas partes de la tierra, y así, levanté las anclas y torné atrás, para salir al Norte por la boca que yo arriba dije, y no pude volver por la población adonde yo había estado, por causa de las corrientes que me habían desviado de ella. Y siempre en todo cabo hallaba el agua dulce y clara y que me llevaba al Oriente muy recio fácia las dos bocas que arriba dije; y entonces conjeturé que los hilos de la corriente y aquellas lomas que salían y entraban en estas bocas con aquel rugir tan fuerte, que era pelea del agua dulce con la salada. La dulce empujaba a la otra por que no entrase y la salada por que la otra no saliese; y conjeturé que allí donde son estas dos bocas que algún tiempo sería tierra continua a la isla de la Trinidad con la tierra de Gracia, como podrán ver Vuestras Altezas por la pintura de lo que con ésta les envío. Salí yo por esta boca del Norte y hallé que el agua dulce siempre vencía, y cuando pasé, que fue con fuerza de viento, estando en una de aquellas lomas, hallé en aquellos hilos de la parte de dentro el agua dulce y de fuera salada.

Cuando yo navegué de España a las Indias fallé luego, en pasando cien leguas a Poniente de los Azores, grandísimo mudamiento en el cielo e en las estrellas y en la temperancia del aire y en las aguas de la mar, y en esto he tenido mucha diligencia en la experiencia.

Fallo que de Septentrión en Austro, pasando las dichas cien leguas de las dichas islas, que luego en las agujas de marear, que fasta entonces nordesteaban, noruestean una cuarta de viento todo entero; y esto es en allegando allí a aquella línea, como quien traspone una cuesta, y asimesmo fallo la mar toda llena de hierba de una calidad que parece ramitos de pino y muy cargada de fruta como de lantisco, y es tan espesa que al primer viaje pensé que era bajo y que daría en seco con los navíos, y hasta llegar con esta raya no se falla un solo ramito. Fallo también, en llegando allí, la mar muy suave y llana, y bien que vente recio nunca se levanta. Asimismo hallo dentro de la dicha raya, hacia Poniente, la temperancia del cielo muy suave, y no discrepa de la cantidad quier sea invierno, quier sea en verano. Cuando allí estoy, hallo que la estrella del Norte escribe un círculo, el cual tiene en el diámetro cinco grados y, estando las guardas en el brazo derecho, entonces está la estrella en el más bajo, y se va alzando fasta que llega al brazo izquierdo, y entonces está cinco grados; y de allí se va abajando fasta llegar a volver otra vez al brazo derecho.

Yo allegué agora de España a la isla de la Madera y de allí a la Canaria y dende a las islas de Cabo Verde, de adonde cometí el viaje para navegar al Austro fasta debajo la línea equinocial, como ya dije. Allegando a estar en derecho con el paralelo que pasa por la Sierra Leoa en Guinea, fallo tan grande ardor y los rayos del sol tan calientes que pensaba de quemar, y bien me lloviese y el cielo fuese muy turbado, siempre yo estaba en esta fatiga, fasta que Nuestro Señor proveyó de buen viento y a mí puso en voluntad que yo navegase al Occidente con este esfuerzo, que, en llegando a la raya de que yo dije, que allí fallaría mudamiento en la temperancia. Después que yo emparejé a estar en derecho de esta raya, luego fallé la temperancia del cielo muy suave, y cuanto más andaba adelante más multiplicaba; mas no hallé conforme a esto las estrellas.

Fallé allí que, en anocheciendo, tenía yo la estrella del Norte alta cinco grados, y entonces las guardas estaban encima de la cabeza, y después a la media noche, fallaba la estrella alta diez grados, y en amaneciendo que las guardas estaban en los pies quince.

La suavidad de la mar fallé conforme, mas no en la hierba: en esto de la estrella del Norte tomé grande admiración, y por esto muchas noches con mucha diligencia tornaba yo a repricar la vista de ella con el cuadrante, y siempre fallé que caía el plomo y hilo a un punto.

Por cosa nueva tengo yo esto, y podrá ser que será tenida que en poco espacio haga tanta diferencia el cielo.

Yo siempre leí que el mundo, tierra e agua, era esférico, e las autoridades y experiencias que Tolomeo y todos los otros escribieron de este sitio daban e amostraban para ello, así por eclipses de la Luna y otras demostraciones que hacen de Oriente fasta Occidente, como de la elevación del polo de Septentrión en Austro. Agora vi tanta disconformidad, como ya dije, y por esto me puse a tener esto del mundo,

y fallé que no era redondo en la forma que escriben;
salvo que es de la forma de una pera que sea toda
muy redonda, salvo allí donde tiene el pezón, que
allí tiene más alto, o como quien tiene una pelota
muy redonda y en un lugar de ella fuese como una
teta de mujer allí puesta, y que esta parte de este
pezón sea la más alta e más propinca al cielo y sea
debajo la línea equinocial y en esta mar océana en
fin del Oriente. Llamo yo fin de Oriente adonde
acaba toda la tierra e islas, e para esto allego todas
las razones sobreescriptas de la raya que pasa al
Occidente de las islas de los Azores cien leguas de
Septentrión en Austro, que, en pasando de allí al
Poniente, ya van los navíos alzándose hacia el
cielo suavemente, y entonces se goza de más suave
temperancia y se muda el aguja de marear por causa
de la suavidad de esa cuarta de viento, y cuanto más
va adelante e alzándose más noruestea, y esta altura
causa el desvariar del círculo que escribe la estrella
del Norte con las guardas, y cuanto más pasare junto
con la línea equinocial, más se subirán en alto y
más diferencia habrá en las dichas estrellas y en los
círculos de ellas. Y Tolomeo y los otros sabios que
escribieron de este mundo creyeron que era esférico,
creyendo que este hemisferio que fuese redondo como
aquel de allá donde ellos estaban, el cual tiene el
centro en la isla de Arín, que es debajo la línea
equinocial entre el sino Arábico y aquel de Persia, y
el círculo pasa sobre el Cabo de San Vicente en Portugal por el Poniente y pasa en Oriente por Cangara
y por las Seras, en el cual hemisferio no hago yo
que hay ninguna dificultad, salvo que sea esférico
redondo como ellos dicen. Mas este otro digo que
es como sería la mitad de la pera bien redonda, la
cual toviese el pezón alto como yo dije o como una
teta de mujer en una pelota redonda; así que de
esta media parte non hobo noticia Tolomeo ni los
otros que escribieron del mundo, por ser muy ignoto; solamente hicieron raíz sobre el hemisferio adonde ellos estaban, que es redondo esférico, como
arriba dije. Y agora que Vuestras Altezas lo han
mandado navegar y buscar y descobrir, se muestra
evidentísimo, porque, estando yo en este viaje al

Septentrión veinte grados de la línea equinocial, allí era en derecho de Hargín e de aquellas tierras: e allí es la gente negra e la tierra muy quemada, y después que fui a las islas de Cabo Verde, allí en aquellas tierras es la gente mucho más negra, y cuanto más bajo se van al Austro tanto más llegan al extremo, en manera que allí en derecho donde yo estaba, que es la Sierra Leoa, adonde se me alzaba la estrella del Norte en anocheciendo cinco grados, allí es la gente negra en extrema cantidad, y después que de allí navegué al Occidente tan extremos calores, y, pasada la raya de que yo dije, fallé multiplicar la temperancia, andando en tanta cantidad que cuando yo llegué a la isla de la Trinidad, adonde la estrella del Norte en anocheciendo también se me alzaba cinco grados, allí y en la tierra de Gracia hallé temperancia suavísima y las tierras y árboles muy verdes y tan hermosos como en abril en las huertas de Valencia; y la gente de allí de muy linda estatura y blancos más que otros que haya visto en las Indias, e los cabellos muy largos e llanos, e gente más estuta e de mayor ingenio e no cobardes.

Entonces era el sol en Virgen, encima de nuestras cabezas e suyas, ansí que todo esto procede por la suavísima temperancia que allí es, la cual procede por estar más alto en el mundo más cerca del aire que cuento; y así me afirmo que el mundo no es esférico, salvo que tiene esta diferencia que ya dije: la cual es en este hemisferio adonde caen las Indias e la mar océana, y el extremo de ello es debajo la línea equinocial, y ayuda mucho a esto que sea ansí, porque el Sol, cuando Nuestro Señor lo hizo, fue en el primer punto de Oriente o la primera luz que fue aquí en Oriente, allí donde es el extremo de la altura de este mundo. Y bien que el parecer de Aristótel fuese que el polo Antártico o la tierra que debajo de él sea la más alta parte en el mundo y más propincua al cielo, otros sabios le impugnan diciendo que es esta que es debajo del Ártico, por las cuales razones parece que entendían que una parte de este mundo debía de ser más propincua y noble al cielo que otra, y no cayeron en esto que sea debajo del equinocial por la forma que yo dije, y no es maravilla, porque de este hemisferio non se hobiese noticia cierta, salvo muy liviana y por argumento, porque nadie nunca lo ha andado mi enviado a buscar hasta agora que Vuestras Altezas le mandaron explorar e descubrir la mar y la tierra.

Fallo que de allí de estas dos bocas, las cuales, como yo dije, están frontero por línea de Septentrión en Austro, que haya de la una a la otra veintiséis leguas, y no pudo haber en ello yerro, porque se midieron con cuadrante, y de estas dos bocas de Occidente fasta el golfo que yo dije, al cual llamé *de las Perlas*, que son sesenta e ocho leguas de cuatro millas cada una, como acostumbramos en el mar, y que de allá de este golfo corre de contino el agua muy fuerte hacia el Oriente, y que por esto tienen aquel combate estas dos bocas con la salada. En esta boca de Austro a que yo llamé *de la Sierpe*, fallé, en anocheciendo, que yo tenía la estrella del Norte alta cuasi cinco grados, y en aquella otra del Septentrión a que yo llamé *del Drago*, eran cuasi siete, y fallo que el dicho golfo de las Perlas está occidental al Occidente de el *   de Tolomeo cuasi tres mil e novecientas millas, que son cuasi setenta grados equinociales, contando por cada uno cincuenta y seis millas e dos tercios.

La Sacra Escriptura testifica que Nuestro Señor hizo al Paraíso Terrenal y en él puso el árbol de la vida, y de él sale una fuente de donde resultan en este mundo cuatro ríos principales: Ganges en India, Tigris y Éufrates en **   los cuales apartan la sierra y hacen la Mesopotamia y van a tener en Persia, y el Nilo que nace en Etiopía y va en la mar en Alejandría.

Y no hallo ni jamás he hallado escriptura de latinos ni de griegos que certificadamente diga el sitio en este mundo del Paraíso Terrenal, ni visto en ningún mapamundo, salvo, situado con autoridad de argumento. Algunos le ponían allí donde son las fuentes del Nilo en Etiopía; mas otros anduvieron todas estas tierras y no hallaron conformidad de ello

* Vacío en el texto original.
** Vacío en el texto original.

en la temperancia del cielo, en la altura hacia el cielo, porque se pudiese comprender que él era allí, ni que las aguas del diluvio hobiesen llegado allí, las cuales subieron encima, etc. Algunos gentiles quisieron decir por argumentos que él era en las islas Fortunatas, que son las Canarias, etc.

San Isidro y Beda y Strabo y el maestro de la historia escolástica y San Ambrosio y Scoto y todos los sanos teólogos conciertan que el Paraíso Terrenal es en el Oriente, etc.

Ya dije lo que yo hallaba de este hemisferio y de la hechura, y creo que si yo pasara por debajo de la línea equinocial, en llegando allí, en esto que más alto que fallara muy mayor temperancia y diversidad en las estrellas y en las aguas; no porque yo crea que allí donde es el altura del extremo sea navegable ni agua, ni que se pueda subir allá, porque creo que allí es el Paraíso Terrenal, adonde no puede llegar nadie, salvo por voluntad divina. Y creo que esta tierra que agora mandaron descubrir Vuestras Altezas sea grandísima y haya otras muchas en el Austro de que jamás se hobo noticia.

Yo no tomo que el Paraíso Terrenal sea en forma de montaña áspera como el escrebir de ellos nos amuestra, salvo que él sea en el colmo allí donde dije la figura del pezón de la pera y que poco a poco, andando hacia allí, desde muy lejos se va subiendo a él; y creo que nadie no podría llegar al colmo como yo dije, y creo que pueda salir de allí esa agua, bien que sea lejos y venga a parar allí donde yo vengo y faga este lago. Grandes indicios son éstos del Paraíso Terrenal, porque el sitio es conforme a la opinión de estos santos e sanos teólogos, y asimismo las señales son muy conformes, que yo jamás leí no oí que tanta cantidad de agua dulce fuese así dentro e vecina con la salada; y en ello ayuda asimismo la suavísima temperancia. Y si de allí del Paraíso no sale, parece aún mayor maravilla, porque no creo que se sepa en el mundo de río tan grande y tan fondo.

Después que yo salí de la boca del Dragón, que es la una de las dos aquellas del Septentrión a la cual así puse nombre, el día siguiente, que fue día de Nuestra Señora de Agosto, fallé que corría tanto la mar al Poniente que después de hora de misa, que entré en camino, anduve fasta hora de completas sesenta y cinco leguas de cuatro millas cada una, y el viento no era demasiado, salvo muy suave. Y esto ayuda el cognocimiento que de allí yendo al Austro se va más alto, y andando hacia el Septentrión, como entonces, se va descendiendo.

Muy conoscido tengo que las aguas de la mar llevan su curso de Oriente a Occidente con los cielos, y que allí, en esta comarca, cuando pasan llevan más veloces camino, y por esto han comido tanta parte de la tierra. Porque por eso son acá tantas islas, y ellas mismas hacen de esto testimonio, porque todas a una mano son largas de Poniente a Levante y Norueste a Sueste, que es un poco más alto e bajo, y angostas de Norte a Sur y Nordeste Sudueste, que son en contrario de los otros dichos vientos, y aquí en ellas todas nacen cosas preciosas, por la suave temperancia que les procede del cielo, por estar hacia el más alto del mundo. Verdad es que parece en algunos lugares que las aguas no hagan este curso; mas esto no es, salvo particularmente en algunos lugares donde alguna tierra le está al encuentro y hace parecer que andan diversos caminos.

Plinio escribe que la mar e la tierra hace todo una esfera, y pone que esta mar océana sea la mayor cantidad del agua, y está hacia el cielo, y que la tierra sea debajo y que le sostenga, y mezclado es uno con otro como el amago de la nuez con una tela gorda que va abrazado en ello. El maestro de la historia escolástica sobre el Génesis dice que las aguas son muy pocas, que, bien que cuando fueron criadas que cobijasen toda la tierra, que eran vaporables en manera de niebla y que después que fueron sólidas e juntadas, que ocuparon muy poco lugar, y en esto concierta Nicolao de Lira. El Aristótel dice que este mundo es pequeño y es el agua muy poca y que fácilmente se puede pasar de España a las Indias, y esto confirma el Avenruyz y le alega el Cardenal Pedro de Aliaco, autorizando este decir y aquel de Séneca, el cual conforma con éstos diciendo que Aristóteles pudo saber muchos secretos del mundo a causa de Alejandro Magno, y Séneca a causa de César Nero y Plinio por respecto de los romanos, los cuales todos gastaron dineros e gente y pusieron mucha diligencia en saber los secretos del mundo y darlos a entender a los pueblos; el cual cardenal da a éstos grande autoridad más que a Tolomeo ni a otros griegos ni árabes, y a confirmación de decir que el agua sea poca y que el cubierto del mundo de ella sea poco, al respecto de lo que se decía por autoridad de Tolomeo y de sus secuaces: a esto trae una autoridad de Esdras del tercero libro suyo, adonde dice que de siete partes del mundo las seis son descubiertas y la una es cubierta de agua, la cual autoridad es aprobada por santos, los cuales dan autoridad al tercero e cuarto libro de Esdras, así como es S. Agustín e S. Ambrosio en su *Exameron,* adonde alega allí vendrá mi hijo Jesús e morirá mi hijo Cristo, y dicen que Esdras fue profeta, y asimismo Zacarías, padre de S. Juan, y el braso Simón, las cuales autoridades también alega Francisco de Mairones: en cuanto en esto del enjuto de la tierra mucho se ha experimentado que es mucho más de lo que el vulgo crea; y no es maravilla, porque andando más, más se sabe.

Torno a mi propósito de la tierra de Gracia y río y lago que allí fallé, atán grande que más se le puede llamar mar que lago, porque *lago* es lugar de agua, y en seyendo grandes se dice *mar,* como se dijo a la mar de Galilea y al mar Muerto, y digo que si no procede del Paraíso Terrenal que viene este río y procede de tierra infinita, pues el Austro, de la cual fasta agora no se ha habido noticia, mas yo muy asentado tengo en el ánima que allí adonde dije es el Paraíso Terrenal y descanso sobre razones y autoridades sobrescriptas.

Plega a Nuestro Señor de dar mucha vida y salud y descanso a Vuestras Altezas para que puedan proseguir esta tan noble empresa, en la cual me parece que recibe Nuestro Señor mucho servicio y la España crece de mucha grandeza y todos los cristianos mucha consolación y placer, porque aquí se divulgará el nombre de Nuestro Señor, y en todas las tierras adonde los navíos de Vuestras Altezas van y en todo

cabo mando plantar una alta cruz y a toda la gente
que hallo notifico el estado de Vuestras Altezas y
cómo su asiento es en España, y les digo de nuestra
santa fe todo lo que yo puedo, y de la creencia de la
Santa Madre Iglesia, la cual tiene sus miembros en
todo el mundo, y les digo la policía y nobleza de
todos los cristianos y la fe que en la Santa Trinidad
tienen; y plega a Nuestro Señor de tirar de memoria a las personas que han impugnado y impugnan
tan excelente empresa y impiden y impidieron porque no vaya adelante, sin considerar cuánta honra
y grandeza es del real estado de Vuestras Altezas en
todo el mundo. No saben qué entreponer a maldecir
de esto, salvo que se hace gasto en ello y porque
luego no enviaron los navíos cargados de oro, sin
considerar la brevedad del tiempo y tantos inconvenientes como acá se han habido, y no considerar que
en Castilla, en casa de Vuestras Altezas, salen cada
año personas que por su merecimiento ganaron en
ella más de renta, cada uno de ellos más de lo que es
necesario que se gaste en esto; ansí mesmo sin considerar que ningunos príncipes de España jamás ganaron tierra alguna fuera de ella, salvo agora que
Vuestras Altezas tienen acá otro mundo, de adonde
puede ser tan acrecentada nuestra santa fe y de donde se podrán sacar tantos provechos, que bien que
no se hayan enviado los navíos cargados de oro, se
han enviado suficientes muestras de ello y de otras
cosas de valor, por donde se puede juzgar que en
breve tiempo se podrá haber mucho provecho, y sin
mirar el gran corazón de los príncipes de Portugal,
que ha tanto tiempo que prosiguen la empresa de
Guinea y prosiguen aquella de África, adonde han
gastado la mitad de la gente de su reino, y agora
está el Rey más determinado a ello que nunca. Nuestro Señor provea en esto como yo dije y les ponga en
memoria de considerar de todo esto que va escripto,
que no es de mil partes la una de lo que yo podría
escrebir de cosas de príncipes que se ocuparon a saber y conquistar y sostener.

Todo esto dije y no porque crea que la voluntad
de Vuestras Altezas sea salvo proseguir en ello en
cuanto vivan, y tengo por muy firme lo que me res-

pondió Vuestras Altezas una vez que por palabra le decía de esto, no porque yo hobiese visto mudamiento ninguno en Vuestras Altezas, salvo por temor de lo que yo oía de estos que yo digo, y tanto da una gotera de agua en una piedra que le hace un agujero; y Vuestras Altezas me respondió con aquel corazón que se sabe en todo el mundo que tienen, y me dijo que no curase de nada de eso, porque su voluntad era de proseguir esta empresa y sostenerla, aunque no fuese sino piedras y peñas y que el gasto que en ello se hacía que lo tenía en nada, que en otras cosas no tan grandes gastaban mucho más, y que lo tenían todo por muy bien gastado lo del pasado y lo que se gastase en adelante, porque creían que nuestra fe sería acrecentada y su real señorío ensanchado, y que no eran amigos de su real estado aquellos que les maldecían de esta empresa. Y agora, entre tanto que vengan noticias de esto, de estas tierras que agora nuevamente he descubierto, en que tengo sentado en el ánima que allí es el Paraíso Terrenal, irá el Adelantado con tres navíos bien ataviados para ello a ver más adelante, y descubrirán todo lo que pudieren hacia aquellas partes. Entre tanto, yo enviaré a Vuestras Altezas esta escriptura y la pintura de la tierra, y acordarán lo que en ello se deba facer y me enviarán a mandar, y se cumplirá con ayuda de la Santa Trinidad con toda diligencia en manera que Vuestras Altezas sean servidos y hayan placer. *Deo gracias.*

EL CUARTO VIAJE

Carta del Almirante a los Reyes Católicos

Serenísimos y muy altos y poderosos príncipes, Rey o Reina Nuestros Señores: de Cádiz pasé a Canaria en cuatro días, y dende a las Indias en diez y seis días, donde escribía. Mi intención era dar prisa a mi viaje en cuanto yo tenía los navíos buenos, la gente y los bastimentos, y que mi derrota era en la isla de Jamaica; y en la Dominica escribí esto. Fasta allí truje el tiempo a pedir por la boca. Esa noche que allí entré fue con tormenta grande y me persiguió después siempre.

Cuando llegué sobre la Española envié el envoltorio de cartas y a pedir por merced un navío por mis dineros, aunque otro que yo llevaba era inavegable y no sufría velas. Las cartas tomaron, y sabrán si se las dieron la respuesta. Para mi fue mandarme de parte de ahí, que yo no pasase ni llegase a la tierra. Cayó el corazón a la gente que iba conmigo, por temor de los llevar yo lejos, diciendo que si algún caso de peligro les viniese que no serían remediados allí; antes les sería fecha alguna grande afrenta. También a quien plugo dijo que el comendador había de proveer las tierras que yo ganase.

La tormenta era terrible, y en aquella noche me desmembró los navíos: a cada uno llegó por su cabo sin esperanzas, salvo de muerte; cada uno de ellos tenía por cierto que los otros eran perdidos. ¿Quién nació, sin quitar a Job, que no muriera desesperado?, ¿qué por mi salvación y de mi fijo, hermano y amigos me fuese en tal tiempo defendida la tierra y

puertos que por voluntad de Dios, gané a España
sudando sangre?

E torno a los navíos que así me había llevado la
tormenta y dejado a mí solo. Deparómelos Nuestro
Señor cuando le plugo. El navío *Sospechoso* había
echado a la mar, por escapar, fasta la ísola la Gallega; perdió la barca y todos gran parte de los bastimentos; en el que yo iba, abalumado a maravilla,
Nuestro Señor le salvó, que no hubo daño de una
paja. En el *Sospechoso* iba mi hermano; y él, después de Dios, fue su remedio. E con esta tormenta,
así a gatas, me llegué a Jamaica; allí se mudó de
mar alta en calmería y grande corriente, y me llevó
hasta el Jardín de la Reina sin ver tierra. De allí,
cuando pude, navegué a la tierra firme, adonde me
salió el viento y corriente terrible al opósito; com-
batí con ellos sesenta días, y en fin no le pude ganar
más de setenta leguas.

En todo este tiempo no entré en puerto, ni pude
ni me dejó tormenta del cielo, agua y trombones y
relámpagos de continuo, que parecía el fin del mundo. Llegué al cabo de Gracias a Dios, y de allí me dio
Nuestro Señor próspero el viento y corriente. Esto
fue a 12 de septiembre. Ochenta y ocho días había
que no me había dejado espantable tormenta, atando
que no vide el sol ni estrellas por mar; que a los navíos tenía yo abiertos, a las velas rotas y perdidas
anclas y jarcia, cables, con las barcas y muchos bastimentos, la gente muy enferma y todos contritos y
muchos con promesa de religión y no ninguno sin
otros votos y romerías. Muchas veces habían llegado a se confesar los unos a los otros. Otras tormentas se han visto, mas no durar tanto ni con tanto
espanto. Muchos esmorecieron, harto y hartas veces,
que teníamos por esforzados. El dolor del fijo que
yo tenía allí me arrancaba el ánima, y más por verle
de tan nueva edad de trece años en tanta fatiga y
durar en ello tanto. Nuestro Señor le dio tal esfuerzo que él avivaba a los otros, y en las obras hacía
él como si hubiera navegado ochenta años, y él me
consolaba. Yo había adolescido y llegado fartas veces a la muerte. De una camarilla que yo mandé facer
sobre cubierta mandaba la vía. Mi hermano estaba

en el peor navío y más peligroso. Gran dolor era el mío, y mayor porque lo truje contra su grado, porque, por mi dicha, poco me han aprovechado veinte años de servicio que yo he servido con tantos trabajos y peligros, que hoy día no tengo en Castilla una teja; si quiero comer o dormir no tengo, salvo el mesón o taberna, y las más de las veces falta para pagar el escote. Otra lástima me arranca el corazón por las espaldas, y era de D. Diego, mi hijo, que yo deje en España tan huérfano y desposesionado de mi honra e hacienda; bien que tenía por cierto que allá, como justos y agradecidos príncipes, le restituirían con acrecentamiento en todo.

Llegué a tierra de Cariay, adonde me detuve a remediar los navíos y bastimentos y dar aliento a la gente, que venía muy enferma. Yo, que, como dije, había llegado muchas veces a la muerte, allí supe de las minas del oro de la provincia de Ciamba, que yo buscaba. Dos indios me llevaron a Carambaru, adonde la gente anda desnuda y al cuello un espejo de oro, mas no le querían vender ni 'dar a trueque. Nombráronme muchos lugares en la costa de la mar, adonde decían que había oro y minas; el postrero era Veragua, y lejos de allí obra de veinticinco leguas. Partí con intención de los tentar a todos, y, llegado ya el medio, supe que había minas a dos jornadas de andadura. Acordé de inviarlas a ver víspera de San Simón y Judas, que había de ser la partida. En esa noche se levantó tanta mar y viento que fue necesario de correr hacia adonde él quiso; y el indio adalid de las minas siempre conmigo.

En todos estos lugares adonde yo había estado fallé verdad todo lo que yo había oído: esto me certificó que es así de la provincia de Ciguare, que según ellos es descrita nueve jornadas de andadura por tierra al Poniente: allí dicen que hay infinito oro y que traen corales en las cabezas, manillas a los pies y a los brazos de ello y bien gordas, y de él, sillas, arcas y mesas las guarnecen y enforran. También dijeron que las mujeres de allí traían collares colgados de la cabeza a las espaldas. En esto que yo digo, la gente toda de estos lugares conciertan en ello, y dicen tanto que yo sería contento con el diezmo. También

todos conocieron la pimienta. En Ciguare usan tratar
en ferias y mercaderías: esta gente así lo cuentan,
y me amostraban el modo y forma que tienen en la
barata. Otrosí dicen que las naos traen bombardas,
arcos y flechas, espadas y corazas, y andas vestidos,
y en la tierra hay caballos, y usan la guerra, y traen
ricas vestiduras y tienen buenas cosas. También dicen que la mar boja a Ciguare, y de allí a diez jornadas es el río de Cangues. Parece que estas tierras
están con Veragua como Tortosa con Fuenterrabía
o Pisa con Venecia. Cuando yo partí de Caramburu
y llegué a esos lugares que dije, fallé la gente en
aquel mismo uso, salvo que los espejos del oro quien
los tenía los daba por tres cascabeles de gavilán
por el uno, bien que pasasen diez o quince ducados
de peso. En todos sus usos son como los de la Española. El oro cogen con otras artes, bien que todos
son nada con los de los cristianos. Esto que yo he
dicho es lo que oyo. Lo que yo sé es que el año de
noventa y cuatro navegué en veinticuatro grados
al Poniente en término de nueve horas, y no pudo
haber yerro porque hubo eclipses: el Sol estaba en
Libra y la Luna en Ariete. También esto que yo
supe por palabra habíalo yo sabido largo por escrito.
Tolomeo creyó de haber bien remedado a Marino,
y ahora se falla su escritura bien propincua al
cierto. Tolomeo asienta Catigara a doce líneas lejos de su Occidente, que él asentó sobre el cabo
de San Vicente en Portugal dos grados y un tercio.
Marino en quince líneas constituyó la tierra e tér-
minos. Marino en Etiopía escribe al lado la línea
equinocial más de veinticuatro grados, y ahora que
los portugueses la navegan le fallan cierto. Tolomeo
diz que la tierra más austral es el plazo primero y
que no abaja más de quince grados y un tercio. E el
mundo es poco; el enjuto de ello es seis partes, la
séptima solamente cubierta de agua; la experiencia
ya está vista, y la escribí por otras letras y con ador-
namiento de la Sacra Escriptura, con el sitio del
Paraíso Terrenal, que la Santa Iglesia aprueba. Digo
que el mundo no es tan grande como dice el vulgo,
y que un grado de la equinocial está cincuenta y
seis millas y dos tercios: pero esto se tocará con el

dedo. Dejó esto, por cuanto no es mi propósito de fablar en aquella materia, salvo de dar cuenta de mi duro y trabajoso viaje, bien que él sea el más noble y provechoso.

Digo que víspera de San Simón y Judas corrí donde el viento me llevaba, sin poder resistirle. En un puerto excusé diez días de gran fortuna de la mar y del cielo: allí acordé de no volver atrás a las minas y déjélas ya por ganadas. Partí, por seguir mi viaje, lloviendo; llegué a puerto de Bastimentos, adonde entré y no de grado. La tormenta y gran corriente me entró allí catorce días; y después partí y no con buen tiempo. Cuando yo hube andado quince leguas forzosamente, me reposó atrás el viento y corriente con furia. Volviendo yo al puerto donde había salido, fallé en el camino al Retrete, adonde me retruje con harto peligro y enojo y bien fatigado yo y los navíos y la gente. Detúveme allí quince días, que así lo quiso el cruel tiempo; y cuando creí de haber cabado me fallé de comienzo. Allí mudé de sentencia de volver a las minas y hacer algo fasta que me viniese tiempo para mi viaje y marear. Y llegado con cuatro leguas, revino la tormenta y me fatigó tanto a tanto que ya no sabía de mi parte. Allí se me refrescó del mal la llaga: nueve días anduve perdido sin esperanza de vida; ojos nunca vieron la mar tan alta, fea y hecha espuma. El viento no era para ir adelante ni daba lugar para correr hacia algún cabo. Allí me detenía en aquella mar fecha sangre, hirviendo como caldera por gran fuego. El cielo jamás fue visto tan espantoso: un día con la noche, ardió como forno; y así echaba la llama con los rayos, que cada vez miraba yo si me había llevado los másteles y velas. Venían con tanta furia espantables que todos creíamos que me habían de fundir los navíos. En todo este tiempo jamás cesó agua del cielo, y no para decir que llovía, salvo resegundaba otro diluvio. La gente estaba tan molida que deseaba la muerte para salir de tantos martirios. Los navíos habían perdido dos veces las barcas, anclas, cuerdas, y estaban abiertos, sin velas.

Cuando plugo a nuestro Señor, volví a Puerto Gordo, adonde reparé lo mejor que pude. Volví otra vez hacia Veragua para mi viaje, aunque yo no estuviera para ello. Todavía era el viento y corrientes contrarios. Llegué casi adonde antes, y allí me salió otra vez el viento y corrientes al encuentro. Y volví otra vez al puerto, que no osé esperar la oposición de Saturno con mares tan desbaratados en costa brava, porque las más de las veces trae tempestad o fuerte tiempo. Esto fue día de Navidad, en horas de misa. Volví otra vez adonde yo había salido con harta fatiga; y, pasado año nuevo, torné a la porfía, que aunque me hiciera buen tiempo para mi viaje, ya tenía los navíos innavegables y la gente muerta y enferma. Día de la Epifanía llegué a Veragua, ya sin aliento. Allí me deparó Nuestro Señor un río y seguro puerto, bien que a la entrada no tenía salvo diez palmos de fondo. Metíme en él con pena, y al día siguiente recordó la fortuna: si me falla fuera, no pudiera entrar a causa del banco. Llovió sin cesar fasta 14 de febrero, que nunca hubo lugar de entrar en la tierra, ni de remediar en nada; y, estando ya seguro a 24 de enero, de improviso vino el río muy alto y fuerte: quebróme las amarras y proeses, y hubo de llevar los navíos, y cierto los vi en mayor peligro que nunca. Remedió Nuestro Señor, como siempre hizo. No sé si hubo otro con más martirios. A 6 de febrero, lloviendo, invié setenta hombres la tierra adentro; y a las cinco leguas fallaron muchas minas: los indios que iban con ellos los llevaron a un cerro muy alto, y de allí les mostraron hacia toda parte cuanto los ojos alcanzaban, diciendo que en toda parte había oro y que hacia el Poniente llegaban las minas veinte jornadas, y nombraban las villas y lugares y adonde había de ello más o menos. Después supe yo que el Quibian que había dado estos indios les había mandado que fuesen a mostrar las minas lejos y de otro su contrario, y que adentro de su pueblo cogían, cuando él quería, un hombre en diez días una mozada de oro. Los indios sus criados y testigos de esto traigo conmigo. Adonde él tiene el pueblo llegan las barcas. Volvió mi hermano con esa gente, y todos con oro que habían cogido en cuatro horas que fue allá a la estada. La calidad es grande, porque ninguno de éstos jamás había visto minas y los más oro. Los más eran gente de la mar y casi todos grumetes. Yo tenía mucho aparejo para edificar y muchos bastimentos. Asenté pueblo, y di muchas dádivas al Quibian, que así llaman al señor de la tierra. Y bien sabía que no había de durar la concordia: ellos muy rústicos y nuestra gente muy importunos, y me aposesionaba en su término. Después que él vido las cosas fechas y el tráfago tan vivo, acordó de las quemar y matarnos a todos. Muy al revés salió su propósito: quedó preso él, mujeres y fijos criados; bien que su prisión duró poco. El Quibian se fuyó a un hombre honrado, a quien se había entregado con guarda de hombres; e los hijos se fueron a un maestre de navío, a quien se dieron en él a buen recaudo.

En enero se había cerrado la boca del río. En abril los navíos estaban todos comidos de broma y no los podía sostener sobre agua. En este tiempo hizo el río un canal, por donde saqué tres de ellos vacíos con gran pena. Las barcas volvieron adentro por la sal y agua. La mar se puso alta y fea, y no dejó salir afuera: los indios fueron muchos y juntos y las combatieron, y en fin los mataron. Mi hermano y la otra gente toda estaban en un navío que adentro: yo muy solo de fuera en tan brava costa, con fuerte fiebre, en tanta fatiga: la esperanza de escapar era muerta. Subí así trabajando lo más alto, llamando a voz temerosa, llorando y muy aprisa, los maestros de la guerra de Vuestras Altezas, a todos cuatro los vientos, por socorro; mas nunca me respondieron. Cansado, me dormecí gimiendo. Una voz muy piadosa oí, diciendo: «¡Oh estulto y tardo a creer y a servir a tu Dios, Dios de todos! ¿Qué hizo El más por Moysés o por David su siervo? Desque naciste, siempre El tuvo de ti muy grande cargo. Cuando te vido en edad de que El fue contento, maravillosamente hizo sonar tu nombre en la tierra. Las Indias, que son parte del mundo tan ricas, te las dio por tuyas; tú las repartiste adonde te plugo y te dio poder para ello. De los atamientos de la mar océana, que estaban cerrados con cadenas tan fuertes, te dio las llaves; y fuiste obedecido en tantas tierras y de los cristianos cobraste tan honrada fama. ¿Qué hizo el más alto pueblo de Israel cuando le sacó de Egipto? ¿Ni por David, que de pastor hizo Rey en Judea? Tórnate a El y conoce ya tu yerro: su misericordia es infinita. Tu vejez no impedirá a toda cosa grande: muchas heredades tiene El grandísimas. Abraham pasaba de cien años cuando engendró a Isaac, ¿ni Sara era moza? Tú llamas por socorro incierto. Responde, ¿quién te ha afligido tanto y tantas veces: Dios o el mundo? Los privilegios y promesas que da Dios no las quebranta, ni dice después de haber recibido el servicio que su intención no era ésta y que se entiende de otra manera, ni de martirios por dar color a la fuerza. El va al pie de la letra: todo lo que El promete cumple con acrecentamiento; ¿esto es uso? Dicho tengo lo que tu Criador ha fecho por ti y hace con todos. Ahora medio muestra el galardón de estos afanes y peligros que has pasado sirviendo a otros.» Yo, así amortecido, oí todo; mas no tuve respuesta a palabras tan ciertas, salvo llorar por mis yerros. Acabó Él de fablar, quien quiera que fuese, diciendo: «No temas, confía: todas estas tribulaciones están escritas en piedra mármol y no sin causa.»

Levantéme cuando pude; y al cabo de nueve días hizo bonanza, mas no para sacar navíos del río. Recogí la gente que estaba en tierra y todo el resto que pude, porque no estaban para quedar y para navegar los navíos. Quedara yo a sostener el pueblo con todos, si Vuestras Altezas supieran de ello. El temor que nunca aportaría allí navíos me determinó a esto y la cuenta que cuando se haya de proveer de socorro se proveerá de todo. Partí en nombre de la Santísima Trinidad la noche de Pascua, con los navíos podridos, abrumados, todos fechos agujeros. Allí en Belén dejé uno y hartas cosas. En Belpuerto hice otro tanto. No me quedaron salvo dos en el estado de los otros, y sin barcas y bastimentos, por haber de pasar siete mil millas de mar y de agua o morir en la vía con fijo y hermano y tanta gente. Respondan ahora los que suelen tachar y reprender, diciendo allá de un sal-

vo: ¿por qué no hacíades esto allí? Los quisiera yo
en esta jornada. Yo bien creo que otra de otro sabor
los aguarda: a nuestra fe es ninguna.

Llegué a 13 de mayo en la provincia de Mago, que
parte con aquella de Catayo, y de allí partí para la
Española: navegué dos días con buen tiempo, y
después fue contrario. El camino que yo llevaba era
para desechar tanto número de islas, por no me
embarazar en los bajos de ellas. La mar brava me
hizo fuerza y hube de volver atrás sin velas. Surgí a
una isla adonde de golpe perdí tres anclas, y a la
media noche, que parecía que el mundo se envolvía,
se rompieron las amarras al otro navío y vino sobre
mí, que fue maravilla cómo no nos acabamos de se
hacer rajas: el ancla, de forma que me quedó, fue
ella, después de Nuestro Señor, quien me sostuvo.
Al cabo de seis días, que ya era bonanza, volví a
mi camino. Así, ya perdido del todo de aparejos y
con los navíos horadados de gusanos más que un
panal de abejas y la gente tan acobardada y per-
dida, pasé algo adelante de donde yo había llegado
denantes. Allí me torné a reposar atrás la fortuna.
Paré en la misma isla en más seguro puerto. Al cabo
de ocho días torné a la vía y llegué a Jamaica en
fin de junio, siempre con vientos punteros y los navíos en peor estado: con tres bombas, tinas y calde-
ras no podían, con toda la gente, vencer el agua que
entraba en el vacío, ni para este mal de broma hay
otra cura. Cometí el camino para me acercar a lo más
cerca de la Española, que son veintiocho leguas, y
no quisiera haber comenzado. En el otro navío
corrió a buscar puerto casi anegado. Yo porfié la
vuelta de la mar con tormenta. El navío se me ane-
gó, que milagrosamente me trujo Nuestro Señor a
tierra. ¿Quién creyera lo que yo aquí escribo? Digo
que de cien partes no he dicho la una en esta letra.
Los que fueron con el Almirante lo atestigüen. Si
place a Vuestras Altezas de me hacer merced de
socorro un navío que pase de sesenta y cuatro, con
ducientos quintales de bizcochos y algún otro basti-
mento, abastará para me llevar a mí y a esta gente
a España de la Española. En Jamaica ya dije que
no hay veintiocho leguas a la Española. No fuera

yo, bien que los navíos estuvieran para ello. Ya dije que me fue mandado de parte de Vuestras Altezas que no llegase a ella. Si este mandar ha aprovechado, Dios lo sabe. Esta carta invío por vía y mano de indios: grande maravilla será si allá llega.

De mi viaje digo: que fueron ciento y cincuenta personas conmigo, en que hay hartos suficientes para pilotos y grandes marineros; ninguno puede dar razón cierta por donde fui yo ni vine. La razón es muy presta. Yo partí sobre el pueblo del Brasil: en la Española no me dejó la tormenta ir al camino que yo quería, fue por fuerza correr adonde el viento quiso. En ese día caí yo muy enfermo; ninguno había navegado hacia aquella parte; cesó el viento y mar dende a ciertos días y se mudó la tormenta en calmería y grandes corrientes. Fui a aportar a una isla que se dijo de las Bocas, y de allí a tierra firme. Ninguno puede dar cuenta verdadera de esto, porque no hay razón que abaste; porque fue ir con corriente sin ver tierra tanto número de días. Seguí la costa de la tierra firme: ésta se asentó con compás y arte. Ninguno hay que diga debajo cuál parte del cielo o cuándo yo partí de ella para venir a la Española. Los pilotos creían venir a parar a la isla de Sanct-Joan; y fue en tierra de Mango, cuatrocientas leguas más al Poniente de adonde decían. Respondan, si saben, adonde es el sitio de Veragua. Digo que no pueden dar otra razón ni cuenta, salvo que fueron a unas tierras adonde hay mucho oro, y certificarle; mas, para volver a ella el camino tiene ignoto. Sería necesario para ir a ella descubrirla como de primero. Una cuenta hay y razón de astrología y cierta: quien la entiende de esto le abasta. A visión profética se asemeja esto. Las naos de las Indias, si no navegan, salvo a popa, no es por la mala fechura ni por ser fuertes. Las grandes corrientes que allí vienen, juntamente con el viento, hacen que nadie porfíe con bolina, porque en un día perderían lo que hubiesn ganado en siete; ni saco carabera aunque sea latina portuguesa. Esta razón hace que no naveguen, salvo con colla, y por esperarle se detienen a las veces seis y ocho meses en puerto. Ni es maravilla, pues que en España muchas veces acaece otro tanto.

La gente de que escribe Papa Pío, según el sitio y señas, se ha hallado, mas no los caballos, pretales y frenos de oro; ni es maravilla, porque allí las tierras de la costa de la mar no requieren salvo pescadores, ni yo me detuve, porque andaba a prisa. En Cariay y en esas tierras de su comarca son grandes fechiceros y muy medrosos. Dieran el mundo porque no me detuviera allí una hora. Cuando llegué allí, luego me inviaron dos muchachas muy ataviadas. La más vieja no sería de once años· y la otra de siete; ambas con tanta desenvoltura, que no serían más unas putas. Traían polvos de hechizos escondidos. En llegando, las mandé adornar de nuestras cosas y las invié luego a tierra. Allí vide una sepultura en el monte, grande como una casa y labrada, y el cuerpo descubierto y mirando en ella. De otras artes me dijeron y más excelentes. Animalias menudas y grandes hay hartas y muy diversas de las nuestras. Dos puercos hube yo en presente, y un perro de Irlanda no osaba esperarlos. Un ballestero había herido una animalia, que se parece a gato paul, salvo que es mucho más grande, y el rostro de hombre: teníale atravesado con una seata desde los pechos a la cola, y porque era feroz le hubo de cortar un brazo y una pierna. El puerco, en viéndole, se le encrespó y se fue huyendo. Yo, cuando esto vi, mandé echarle *begare,* que así se llama adonde estaba: en llegando a él, así estando a la muerte y la saeta siempre en el cuerpo, le echó la cola por el hocico y se la amarró muy fuerte, y con mano que le quedaba le arrebató por el copete como a enemigo. El auto tan nuevo y hermosa montería me hizo escribir esto. De muchas maneras de animalias se hubo, mas todas mueren de barra. Gallinas muy grandes y la pluma como lana vide hartas. Leones, ciervos, corzos y otro tanto y así aves. Cuando yo andaba por aquella mar en fatiga, en algunos se puso herejía que estábamos enfechizados, que hoy día están en ello. Otra gente fallé que comían hombres: la desformidad de su gesto lo dice. Allí dicen que hay grandes mineros de cobre: hachas de

ello, otras cosas labradas, fundidas; soldadas hube
y fraguas con todo su aparejo de platero y los
crisoles. Allí van vestidos; y en aquella provincia
vide sábanas grandes de algodón, labradas de muy
sotiles labores; otras pintadas muy sutilmente a
colores con pinceles. Dicen que en la tierra adentro hacia el Catayo las hay tejidas de oro. De todas
estas tierras y de lo que hay en ellas, falta de lengua, no se saben tan presto. Los pueblos, bien que
sean espesos, cada uno tiene diferenciada lengua, y
es en tanto que no se entienden los unos con los
otros más que nos con los de Arabia. Yo creo que
esto sea en esta gente salvaje de la costa de la
mar, mas no en la tierra dentro.

Cuando yo descubrí las Indias, dije que era el
mayor señorío rico que hay en el mundo. Yo dije del
oro, perlas, piedras preciosas, especerías, con los tra-
tos y ferias, y porque no pareció todo tan presto
fui escandalizado. Este castigo me hace agora que
no diga salvo lo que yo oigo de los naturales de la
tierra. De una oso decir, porque hay tantos testigos,
y es que yo vide en esta tierra de Veragua mayor
señal de oro en dos días primeros que en la Española en cuatro años, y que las tierras de la comarca
no pueden ser más fermosas ni más labradas ni la
gente más cobarde, y buen puerto y hermoso río y
defensible al mundo. Todo esto es seguridad de los
cristianos y certeza de señorío, con grande esperanza de la honra y acrecentamiento de la religión
cristiana; y el camino allí será tan grave como a la
Española, porque ha de ser con viento. Tan señores
son Vuestras Altezas de esto como de Jerez o To-
ledo: sus navíos que fueren allí van a su casa. De
allí sacarán oro: en otras tierras, para haber de lo
que hay en ellas, conviene que se lo lleven, o se
volverán vacíos; y en la tierra es necesario que
fíen sus personas de un salvaje. Del otro que yo
dejo de decir, ya dije por qué me encerré: no digo
así ni que yo me afirme en el tres doble en todo lo
que yo haya jamás dicho ni escrito, y que yo estó
a la fuente. Genoveses, venecianos y toda gente que
tenga perlas, piedras preciosas y otras cosas de valor, todos las llevan hasta el cabo del mundo para

las trocar, convertir en oro: el oro es excelentísimo;
del oro se hace tesoro, y con él, quien lo tiene,
hace cuanto quiere en el mundo, y llega a que echa
las ánimas al paraíso. Los señores de aquellas tierras
de la comarca de Veragua cuando mueren entierran
el oro que tienen con el cuerpo; así lo dicen. A Salomón llevaron de un camino seiscientos y sesenta
y seis quintales de oro, allende lo que llevaron los
mercaderes marineros, y allende lo que se pagó en
Arabia. De este oro fizo doscientas lanzas y trescientos escudos y fizo el tablado que había de estar
arriba de ellas de oro y adornado de piedras preciosas, y fizo otras muchas cosas de oro y vasos muchos y muy grandes y ricos de piedras preciosas.
Josefo, en su crónica de *Antiquitatibus,* lo escribe.
En el *Paralipomenon* y en el *Libro de los Reyes* se
cuenta de esto. Josefo quiere que este oro se hobiese en la Aurea. Si así fuese, digo que aquellas minas de la Aurea son unas y se convienen con estas
de Veragua, que, como yo digo arriba, se alarga al
Poniente veinte jornadas y son en una distancia lejos del polo y de la línea. Salomón compró todo
aquello, oro, piedras y plata, e allí le pueden mandar a coger si les aplace. David en su testamento
dejó tres mil quintales de oro de las Indias a Salomón para ayudar a edificar el templo, y según Josefo
era él de estas mismas tierras. Hierusalem y el monte Sión ha de ser reedificado por mano de cristianos.
Quien ha de ser, Dios por boca del Profeta en el
décimo cuarto salmo lo dice. El abad Joaquín dijo
que éste había de salir de España. San Jerónimo a
la santa mujer le mostró el camino. El Emperador
de Catayo ha días que mandó sabios que le enseñen en la fe de Cristo. ¿Quién será que se ofrezca
a esto? Si Nuestro Señor me lleva a España, yo me
obligo a llevarlo, con el nombre de Dios en salvo.

Esta gente que vino conmigo han pasado increí-
bles peligros y trabajos. Suplico a V. A., porque son
pobres, que les mande pagar luego y les haga mercedes a cada uno según la calidad de la persona,
que les certifico que, a mi creer, les traen las mejores nuevas que nunca fueron a España. El oro que
tiene el Quibian de Veragua y los otros de la

comarca, bien que según información él sea mucho, no me pareció bien ni servicio de Vuestras Altezas de se le tomar por vía de robo. La buena orden evitará escándalo y mala fama y hará que todo ello venga al tesoro, que no quede un grano. Con un mes de buen tiempo yo acabara todo mi viaje: por falta de los navíos no perfié a esperarle para tornar a ello, y para toda cosa de su servicio espero en Aquel que me hizo y estaré bueno. Yo creo que V. A. se acordará que yo quería mandar hacer los navíos de nueva manera; la brevedad del tiempo no dio lugar a ello, y cierto yo había caído en lo que cumplía.

Yo tengo en más esta negociación y minas con esta escala y señorío, que todo lo otro que está hecho en las Indias. No es este hijo para dar a criar a madrastra. De la Española, de Paria y de las otras tierras no me acuerdo de ellas que yo no llore. Creía yo que el ejemplo de ellas hobiese de ser por estotras al contrario: ellas están boca ayuso, bien que no mueren. La enfermedad es incurable o muy larga: quien las llegó a esto, venga ahora con el remedio si puede o sabe; al descomponer, cada uno es maestro. Las gracias y el acrecentamiento siempre fue uso de las dar a quien puso su cuerpo a peligro. No es razón de que quien ha sido tan contrario a esta negociación le goce, ni sus fijos. Los que se fueron de las Indias fuyendo los trabajos y diciendo mal de ellas y de mí, volvieron con cargos; así se ordenaba agora en Veragua: malo ejemplo y sin provecho del negocio y para la justicia del mundo. Este temor, con otros casos hartos que yo veía claro, me hizo suplicar a Vuestras Altezas, antes que yo viniese a descubrir estas islas y tierra firme, que me las dejasen gobernar en su real nombre. Plúgoles: fue por privilegio y asiento, y con sello y juramento, y me intitularon de Visorrey y Almirante y Gobernador General de todo, y aseñalaron el término sobre las islas de los Azores cien leguas, y aquellas de Cabo Verde por la línea que pasa de polo a polo, y de esto y de todo que más se descubriese, y me dieron poder largo. La escritura a más largamente lo dice.

El otro negocio famosísimo está con los brazos

abiertos llamando: extranjero ha sido fasta ahora.
Siete años estuve yo en su Real Corte que a cuantos se fabló de esta empresa todas a una dijeron que era burla. Agora fasta los sastres suplican por descubrir. Es de creer que van a saltear y se les otorgan, que cobran con mucho perjuicio de mi honra y tanto daño del negocio. Bueno es de dar a Dios lo suyo y acetar lo que le pertenece. Esta es justa sentencia, y de justo. Las tierras que acá obedecen a Vuestras Altezas son más que todas las otras de cristianos y ricas. Después yo, por voluntad divina, las hube puestas debajo de su real y alto señorío y en filo para haber grandísima renta, de improviso, esperando navíos para venir a su alto concepto con victoria y grandes nuevas del oro, muy seguro y alegre, fui preso y echado con dos hermanos en un navío, cargados de fierros, desnudo en cuerpo, con muy mal tratamiento, sin ser llamado ni vencido por justicia. ¿Quién creerá que un pobre extranjero se hobiese de alzar en tal lugar contra Vuestras Altezas sin causa ni sin brazo de otro príncipe y estando solo entre sus vasallos y naturales y teniendo todos mis fijos en su Real Corte? Yo vine a servir de veintiocho años y agora no tengo cabello en mi persona que no sea cano y el cuerpo enfermo, y gastado cuanto me quedó de aquéllos, y me fue tomado y vendido y a mis hermanos fasta el sayo, sin ser oído ni visto, con gran deshonor mío. Es de creer que esto no se hizo por su real mandado. La restitución de mi honra y daños y el castigo en quien lo fizo fará sonar su real nobleza; y otro tanto en quien me robó las perlas y de quien ha fecho daño en ese almirantado. Grandísima virtud, fama con ejemplo será si hacen esto, y quedará a la España gloriosa memoria, con la de Vuestras Altezas, de agradecidos y justos príncipes. La intención tan sana que yo siempre tuve al servicio de Vuestras Altezas y la afrenta tan desigual no da lugar al ánima que calle, bien que yo quisiera. Suplico a Vuestras Altezas me perdonen.

Yo estoy tan perdido como dije. Yo he llorado fasta aquí a otros: haya misericordia agora el cielo y llore por mí la tierra. En el temporal no tengo solamente una blanca para el oferta; en el espiritual he parado aquí en las Indias de la forma que está dicho. Aislado en esta pena, enfermo, aguardando cada día por la muerte y cercado de un cuento de salvajes y llenos de crueldad y enemgios nuestros, y tan apartado de los Santos Sacramentos de la Santa Iglesia, que se olvidará de esta ánima si se aparta acá del cuerpo. Llore por mí quien tiene caridad, verdad y justicia. Yo no vine este viaje a navegar por ganar honra ni hacienda: esto es cierto, porque estaba ya la esperanza de todo en ella muerta. Yo vine a Vuestras Altezas con sana intención y buen celo, y no miento. Suplico humildemente a Vuestras Altezas que, si a Dios place de me sacar de aquí, que haya por bien mi ida a Roma y otras romerías. Cuya vida y alto estado la Santa Trinidad guarde y acreciente. Fecha en las Indias, en la isla de Jamaica, a 7 de julio de 1503 años.

TESTAMENTO

En el nombre de la Santísima Trinidad, el cual me puso en memoria y después llegó a perfecta inteligencia que podría navegar e ir a las Indias de España, pasando el mar Océano al 'Poniente, y ansí lo notifiqué al Rey D. Fernando y a la Reina Doña Isabel Nuestros Señores y les plugo de me dar aviamiento y aparejo de gente y navíos y de me hacer su Almirante en el dicho mar Océano, allende de una raya imaginaria que mandaron señalar sobre las islas de Cabo Verde y aquellas de los Azores, cien leguas que pasa de polo a polo, que dende en adelante al Poniente fuese su Almirante y que en la tierra firme e islas que yo fallase y descubriese y dende en adelante que de estas tierras fuese yo su Visorrey y Gobernador y sucediese en los dichos oficios mi hijo mayor, y así de grado en grado para siempre jamás, e yo hobiese el diezmo de todo lo que en el dicho almirantazgo se fallase e hobiese e rentase y asimismo la octava parte de las tierras y todas las otras cosas, e el salario que es razón llevar por los oficios de Almirante, Visorrey y Gobernador, y con todos los otros derechos pertenecientes a los dichos oficios, ansí como todo más largamente se contiene en este mi privilegio y capitulación que de Sus Altezas tengo.

E plugo a Nuestro Señor Todopoderoso que en el año de noventa y dos descubriese la tierra firme de las Indias y muchas islas, entre las cuales es la Española, que los indios de ella llaman Ayte y los mo-

nicongos de Cipango. Después volví a Castilla a Sus
Altezas y me tornaron a recebir a la empresa e a
poblar e descubrir más, y ansí me dio Nuestro Señor vitoria, con que conquisté e fice tributaria a la
gente de la Española, la cual boja seiscientas leguas,
y descubrí muchas islas a los caníbales y setecientas al Poniente de la Española, entre las cuales es
aquella de Jamaica, a que nos llamamos de Santiago, e trescientas e treinta e tres leguas de tierra
firme de la parte del Austro al Poniente, allende de
ciento y siete a la parte de Setentrión, que tenía
descubierto al primer viaje con muchas islas, como
más largo se verá por mis escrituras y memorias y
cartas de navegar. E, porque esperamos en aquel
alto Dios que se haya de haber antes de grande tiempo buena e grande renta en las dichas islas y tierra
firme, de la cual, por la razón sobredicha, me pertenece el dicho diezmo y ochavo y salarios y derechos sobredichos, y porque somos mortales y es bien
que cada uno ordene y deje declarado a sus herederos y sucesores lo que ha de haber o hobiere, e
por esto me pareció bien de componer de esta
ochava parte de tierras y oficios e renta un mayorazgo, así como aquí abajo diré.

Primeramente que haya de suceder a mí D. Diego,
mi hijo, y si de él dispusiere Nuestro Señor antes
que él hobiese hijos, que ende suceda D. Fernando,
mi hijo, y si de él dispusiese Nuestro Señor sin que
hobiese hijo, o yo hobiese otro hijo, que suceda
D. Bartolomé, mi hermano, y dende su hijo mayor,
y si de él dispusiere Nuestro Señor sin heredero
que suceda D. Diego, mi hermano, siendo casado
o para poder casar, e que suceda a él su hijo mayor, e así de grado en grado perpetuamente para
siempre jamás, comenzando en D. Diego, mi hijo, y
sucediendo sus hijos, de uno en otro perpetuamente, o falleciendo el hijo suyo suceda D. Fernando,
mi hijo, como dicho es, y así su hijo, y prosigan de
hijo en hijo para siempre él y los sobredichos D. Bartolomé, si a él llegare, e a D. Diego mis hermanos.
Y así a Nuestro Señor pluguiese que, después de
haber pasado algún tiempo este mayorazgo en uno
de los dichos sucesores, viniese a prescribir herede-

ros hombres legítimos, haya dicho mayorazgo y le suceda y herede el pariente más allegado a la persona que heredado lo tenía, en cuyo poder prescribió, siendo hombre legítimo que se llame y se haya siempre llamado de su padre e antecesores llamados de los de Colón. El cual mayorazgo en ninguna manera lo herede mujer ninguna, salvo si aquí ni en otro cabo del mundo no se fallase hombre de mi linaje verdadero que se hobiese llamado y llamase él y sus antecesores de Colón. Y si esto acaesciere (lo que Dios no quiera), que en tal caso lo haya la mujer más llegada en deudo y en sangre legítima a la persona que así había logrado el dicho mayorazgo; y esto será con las condiciones que aquí abajo diré, las cuales se entienda que son ansí por D. Diego, mi hijo, como por cada uno de los sobredichos o por quien sucediere, cada uno de ellos, las cuales cumplirán, y, no cumpliéndolas, que en tal caso sea privado del dicho mayorazgo y lo haya el pariente más allegado a la tal persona, en cuyo poder había prescripto por no haber cumplido lo que aquí diré: el cual así también le cobrarán si él no cumpliere estas dichas condiciones que aquí abajo diré, o también sea privado de ello y lo haya otra persona más llegada a mi linaje, guardando las dichas condiciones que así duraren perpetuo, y será en la forma sobre escrita en perpetuo. La cual pena no se entienda en cosas de menudencias que se podrían inventar por pleitos, salvo por cosa gruesa que toque a la honra de Dios y de mí y de mi linaje, como es cumplir libremente lo que yo dejo ordenado, cumplidamente como digo, lo cual todo encomiendo a la justicia; y suplico al Santo Padre que agora es y que sucederá en la Santa Iglesia agora o cuando acaesciere que este mi compromiso y testamento haya de menester para se cumplir de su santa ordenación e mandamientos, que en virtud de obediencia y so pena de excomunión papal lo mande, y que en ninguna manera jamás se disforme; y asimismo lo suplico al Rey y a la Reina Nuestros Señores y al príncipe D. Juan, su primogénito Nuestro Señor, y a los que le sucedieren, por los servicios que yo les he fecho: e, por ser justo, que les plega y no con-

sientan ni consienta que se disforme este mi compromiso de mayorazgo e de testamento, salvo que quede
y esté así y por la guisa y forma que yo le ordené
para siempre jamás, porque sea servicio de Dios
Todopoderoso y raíz y pie de mi linaje y memoria
de los servicios que a Sus Altezas he hecho, que,
siendo yo nacido en Génova, les viene a servir aquí
en Castilla y les descubrí al Poniente de tierra
firme las Indias y las dichas islas sobredichas. Así
que suplico a Sus Altezas que sin pleito ni demanda ni dilación manden sumariamente que este mi
privilegio y testamento valga y se cumpla, así como
en él fuere y es contenido; y asimismo lo suplico
a los grandes señores de los reinos de Su Alteza y
a los del su Consejo y a todos los otros que tienen
o tuvieren cargos de justicia o de regimiento, que
les plega no consentir que esta mi ordenación e
testamento sea sin vigor y virtud y se cumpla como
está ordenado por mí, así por ser muy justo que
persona de título e que ha servido a su Rey e Reina
e al reino, que valga todo lo que ordenare y dejare
por testamento o compromiso e mayorazgo e heredad e no se le quebrante en cosa alguna ni en parte
ni en todo.

Primeramente traerá D. Diego, mi hijo, y todos los
que de mí sucedieren y descendieren, y así mis hermanos D. Bartolomé y D. Diego, mis armas, que yo
dejaré después de mis días, sin entreverar más ninguna cosa que ellas, y sellará con el sello de ellas.
D. Diego, mi hijo, o cualquier otro que heredare este
mayorazgo, después de haber heredado y estado en
posesión de ello, firme de mi firma, la cual agora
acostumbro, que es una X con una S encima y una
M con una A romana con una S encima, con sus ra-
yas y vírgulas, como yo agora fago y se parecerá
por mis firmas, de las cuales encima, y encima de
ella una S y después una Y griega se hallarán muchas y por esta parecerá.

Y no escribirá sino *el Almirante,* puesto que otros
títulos el Rey le diese o ganase; esto se entiende
en la firma y no en su ditado, que podrá escribir
todos sus títulos como le pluguiere. Solamente en
la firma escribirá *el Almirante.*

Habrá dicho D. Diego o cualquier otro que heredare este mayorazgo mis oficios de Almirante del
mar Océano, que es de la parte del Poniente de una
raya que mandó asentar imaginaria su Alteza a
cien leguas sobre las islas de los Azores y otro
tanto sobre las de Cabo Verde, la cual parte de polo
a polo, allende de la cual mandaron e me hicieron
su Almirante en la mar, con todas las preeminencias
que tiene el Almirante don Henrique en el Almirantazgo de Castilla, e me hicieron su Visorrey y
Gobernador perpetuo para siempre jamás, y en todas
las islas y tierra firme, descubiertas y por descubrir,
para mí y para mis herederos, como más largo parece por mis privilegios, los cuales tengo, y por mis
capítulos, como arriba dije.

Ítem: que el dicho D. Diego o cualquier otro que
heredare el dicho mayorazgo, repartirá la renta que
a Nuestro Señor pluguiere de le dar en esta manera sola dicha pena.

Primeramente, dará todo lo que este mayorazgo
rentare agora y siempre e de él e por él se hobiere
e recaudare la cuarta parte cada año a D. Bartolomé
Colón, Adelantado de las Indias, mi hermano, y esto
fasta que él haya de su renta un cuento de maravedís para su mantenimiento y trabajo que ha tenido y tiene de servir en este mayorazgo, el cual
dicho cuento llevará, como dicho es, cada año, si
la dicha cuarta parte tanto montare, si él no tuviere otra cosa; mas, teniendo algo o todo de renta,
que dende en adelante no lleve el dicho cuento ni
parte de ello, salvo que desde agora habrá en la
dicha cuarta parte fasta la dicha cuantía de un
cuento, si allí llegare, y tanto que él haya de renta
fuera de esta cuarta parte cualquier suma de maravedís de renta conocida de bienes que pudiere arrendar o oficios perpetuos, se le descontará la dicha
cantidad que así habrá de renta, o podría haber de
los dichos sus bienes oficios perpetuos, e del dicho
un cuento será reservado cualquier dote o casamiento que con la mujer con quien él casare hobiere:
ansí que todo lo que él hobiere con la dicha su
mujer no se entenderá que por ello se le haya de
descontar nada del dicho cuento, salvo de lo que él

ganare o hobiere allende del dicho casamiento de
su mujer, y después que plega a Dios que él o sus
herederos o quien de él descendiere haya un cuento
de renta de bienes y oficios, si los quisiere arrendar,
como dicho es, no habrá él ni sus herederos más de
la cuarta parte del dicho mayorazgo nada, y lo habrá el dicho D. Diego o quien heredare.

Ítem: habrá de la dicha renta del dicho mayorazgo o de otra cuarta parte de ella D. Fernando, mi
hijo, un cuento cada año, si la dicha cuarta parte
tanto montare, fasta que él haya dos cuentos de
renta por la misma guisa y manera que está dicho
de D. Bartolomé, mi hermano, él y sus herederos,
así como D. Bartolomé, mi hermano, y los herederos
del cual así habrán el dicho un cuento o la parte
que faltare para ello.

Ítem: el dicho D. Diego y D. Bartolomé ordena-
rán que haya de la renta del dicho mayorazgo D. Diego, mi hermano, tanto de ello con que se pueda mantener honestamente, como mi hermano que es, al
cual no dejo cosa limitada porque él quiere ser de
la Iglesia, y le darán lo que fuere razón; y esto
sea de montón mayor, antes que se dé nada a D. Fernando, mi hijo, ni a D. Bartolomé, mi hermano, o a
sus herederos, y también según la cantidad que
rentare el dicho mayorazgo; y si en esto hobiese
discordia, que en tal caso se remita a dos parientes
nuestros o a otras personas de bien, que ellos tomen
la una y él tome la otra, y si no se pudiesen concer-
tar, que los dichos dos compromisos escojan otra
persona de bien que no sea sospechosa a ninguna
de las partes.

Ítem: que toda esta renta que yo mando dar a
D. Bartolomé y a D. Fernando y a D. Diego, mi
hermano, la hayan y les sea dada, como arriba dije,
con tanto que sean leales y fieles a D. Diego, mi
hijo, o a quien heredare, ellos y sus herederos; y
si se fallase que fuesen contra él en cosa que toque
y sea contra su honra y contra acrecentamiento de
mi linaje e del dicho mayorazgo, en dicho o fecho,
por lo cual pareciese y fuese escándalo y abatimien-
to de mi linaje y menoscabo del dicho mayorazgo o
cualquiera de ellos, que éste no haya dende en ade-

lante cosa alguna: así que siempre sean fieles a
D. Diego o a quien heredare.

Ítem: porque en el principio que yo ordené este
mayorazgo tenía pensado de distribuir, y que D. Diego, mi hijo, o cualquier otra persona que le heredase,
distribuyan de él la décima parte de la renta en
diezmo y conmemoración del Eterno Dios Todopoderoso en personas necesitadas; para esto agora digo
que por ir y que vaya adelante mi intención y para
que Su Alta Majestad me ayude a mí y a los que esto
heredaren acá o en el otro mundo, que todavía se
haya de pagar el dicho diezmo de esta manera.

Primeramente, de la cuarta parte de la renta de
este mayorazgo, de la cual yo ordeno y mando que
se dé y haya D. Bartolomé hasta tener un cuento de
renta, que se entienda que en este cuento va el
dicho diezmo de toda la renta del dicho mayorazgo,
y que así como creciere la renta del dicho D. Bartolomé, mi hermano, porque se haya de descontar de
la renta de la cuarta parte del mayorazgo algo o
todo, que se vea y cuente toda la renta sobredicha
para saber cuánto monta el diezmo de ello, y la
parte que no cabiere o sobrare a lo que hobiere de
haber el dicho D. Bartolomé para el cuento, que
esta parte la hayan las personas de mi linaje en
descuento del dicho diezmo los que más necesitados
fueren y más menester lo hobieren, mirando de la
dar a persona que no tenga cincuenta mil maravedís
de renta, y si el que menos tuviese llegase hasta la
cuantía de cincuenta mil maravedís, haya la parte
el que pareciere a las dos personas que sobre esto
aquí eligieron con D. Diego o con quien heredare:
así que se entienda que el cuento que yo mando dar
a D. Bartolomé son y en ellos entra la dicha parte
sobredicha del diezmo del dicho mayorazgo, y que
toda la renta del mayorazgo quiero e tengo ordenado
que se distribuya en los parientes míos más llegados
al dicho mayorazgo y que más necesitados fueren,
y después que el dicho D. Bartolomé tuviere su
renta un cuento y que no se le deba nada de la dicha
cuarta parte, entonces y antes se verá y vea el dicho D. Diego, mi hijo, o la persona que tuviere el
dicho mayorazgo con las otras dos personas que aquí

diré la cuenta, en tal manera que todavía el diezmo de toda esta renta se dé y hayan las personas de mi linaje más necesitadas que estuvieren aquí o en cualquier otra parte del mundo, a donde las envíen a buscar con diligencia, y sea de la dicha cuarta parte de la cual el dicho D. Bartolomé ha de haber el cuento: los cuales yo cuento y doy en descuento del dicho diezmo, con razón de cuenta, que si el diezmo sobredicho más montare, que también esta demasía salga de la cuarta parte y la hayan los más necesitados, como ya dije, y si no bastare, que lo haya D. Bartolomé hasta que de suyo vaya saliendo, y dejando el dicho un cuento en parte o en todo.

Ítem: que el dicho D. Diego, mi hijo, o la persona que heredare tomen dos personas de mi linaje, los más llegados y personas de ánima y autoridad, los cuales verán la dicha renta y la cuenta de ella, todo con diligencia, y farán pagar el dicho diezmo de la dicha cuarta parte de que se da dicho cuento a D. Bartolomé, a los más necesitados de mi linaje que estuvieren aquí o en cualquier otra parte: y pesquisarán de los haber con mucha diligencia y sobre cargo de sus ánimas. Y porque podría ser que el dicho D. Diego o la persona que heredase no querrán por algún respeto que revelaría al bien suyo e honra e sostenimiento del dicho mayorazgo que no se supiese enteramente la renta de ello, yo le mando a él que todavía le dé la dicha renta sobre el cargo de su ánima, y a ellos les mando sobre cargo de sus conciencias y de sus ánimas, que no lo denuncien ni publiquen, salvo cuanto fuere la voluntad del dicho D. Diego o de la persona que heredare; solamente procure que el dicho diezmo sea pagado en la forma que arriba dije.

Ítem: porque no haya diferencias en el elegir de estos dos parientes más llegados que han de estar con D. Diego, con la persona que heredare, digo que luego yo elijo a D. Bartolomé, mi hermano, por la una, y a D. Fernando, mi hijo, por la otra, y ellos, luego que comenzaren a entrar en esto, sean obligados de nombrar otras dos personas, y sean los más llegados a mi linaje y de mayor confianza, y ellos elegirán otros dos al tiempo que hobieren de comenzar a entender en este fecho. Y así irá de unos en otros con mucha diligencia, así en esto como en todo lo otro de gobierno e bien e honra y servicio de Dios y del dicho mayorazgo para siempre jamás.

Ítem: mando al dicho D. Diego, mi hijo, o a la persona que heredare el dicho mayorazgo, que tenga y sostenga siempre en la ciudad de Génova una persona de nuestro linaje que tenga allí casa e mujer, e le ordene renta con que pueda vivir honestamente, como persona tan llegada a nuestro linaje y haga pie y raíz en la dicha ciudad como natural de ella, porque podrá haber de la dicha ciudad ayuda e favor de las cosas del menester suyo, pues que de ella salí y en ella nací.

Ítem: que el dicho D. Diego o quien heredare el dicho mayorazgo envíe, por vía de cambios o por cualquiera manera que él pudiere, todo el dinero de la renta que él ahorrare del dicho mayorazgo y haga comprar de ellos en su nombre e de su heredero unas compras a que dicen *logos,* que tiene el oficio de San Jorge, los cuales agora rentan seis por ciento, y son dineros muy seguros, y esto sea por lo que yo diré aquí.

Ítem: porque a persona de estado y de renta conviene, por servir a Dios y por bien de su honra, que se aperciba de hacer por sí y se poder valer con su hacienda, allí en San Jorge está cualquier dinero muy seguro, y Génova es ciudad noble y no poderosa por la mar; y porque al tiempo que yo me moví para ir a descubrir las Indias fui con intención de suplicar al Rey y a la Reina Nuestros Señores que de la renta que de Sus Altezas de las Indias hobiere que se determinase de la gastar en la conquista de Jerusalén, y así se lo supliqué. Y si lo hàcen sea en buen punto, y si no, que todavía esté el dicho D. Diego o la persona que heredare de este propósito de ayuntar el más dinero que pudiere para ir con el Rey Nuestro Señor, si fuere a Jerusalén a le conquistar, o ir solo con el más poder que tuviere: que placerá Nuestro Señor que si esta intención tiene e tuviere, que le dará El tal aderezo que lo podrá hacer, y lo haga; y si no tuviere para conquistar todo, le darán a lo menos para parte de

ello. Y así que ayunte y haga su caudal de su tesoro
en los lugares de San Jorge en Génova, y allí multi-
plique fasta que él tenga tanta cantidad que le
parezca y sepa que podrá hacer alguna buena obra
en esto de Jerusalén, que yo creo que después que
el Rey y la Reina Nuestros Señores y sus sucesores vieren que en esto se determinan, que se move-
rán a lo hacer Sus Altezas o le darán el ayuda y
aderezo como a criado y vasallo que lo hará en su
nombre.

Ítem: Yo mando a D. Diego, mi hijo, y a todos los
que de mí descendieron, en especial a la persona
que heredare este mayorazgo —el cual es, como dije,
el diezmo de todo lo que en las Indias se hallare y
hobiere e la octava parte de otro cabo de las tierras
y renta, lo cual todo, con mis derechos de mis oficios
de Almirante y Visorrey y Gobernador, es más de
veinticinco por ciento— digo: que toda la renta de
esto y las personas y cuanto poder tuvieren, obli-
guen y pongan en sostener y servir a Sus Altezas o
a sus herederos bien y fielmente hasta perder y gastar las vidas y haciendas por Sus Altezas, porque
Sus Altezas me dieron comienzo a haber y poder
conquistar y alcanzar, después de Dios Nuestro Señor, este mayorazgo; bien que yo les vine a convidar con esta empresa en sus reinos y estuvieron
mucho tiempo que no me dieron aderezo para la
poner en obra; bien que de esto no es de maravillar,
porque esta empresa era ignota a todo el mundo y
no había quien lo creyese, por lo cual les soy en
muy mayor cargo, y porque después siempre me
han hecho muchas mercedes y acrecentado.

Ítem: mando al dicho D. Diego o a quien pose-
yere el dicho mayorazgo, que si en la Iglesia de Dios,
por nuestros pecados, naciere alguna cisma o que
por tiranía alguna persona, de cualquier grado o
estado que sea o fuere, le quisiere desposer de su
honra o bienes, que, so la pena sobredicha, se ponga
a los pies del Santo Padre, salvo si fuese herético
(lo que Dios no quiera), la persona o personas se
determinen e pongan por obra de servir con toda
su fuerza e renta e hacienda y en querer librar el

dicho cisma e defender que no sea despojada la
Iglesia de su honra y bienes.

Ítem: mando al dicho D. Diego o a quien poseye-
re el dicho mayorazgo, que procure y trabaje siempre por la honra y bien y acrecentamiento de la ciudad de Génova y ponga todas sus fuerzas e bienes
en defender y aumentar el bien e honra de la repú-
blica de ella, no yendo contra el servicio de la Iglesia de Dios y alto estado del Rey o de la Reina Nuestros Señores e de sus sucesores.

Ítem: que el dicho D. Diego o la persona que heredare o estuviere en posesión del dicho mayorazgo
que de la cuarta parte que yo dije arriba que se ha
de distribuir el diezmo de toda la renta, que al tiempo que D. Bartolomé y sus herederos tuvieron aho-
rrados los dos cuentos o parte de ellos y que se hobiere de distribuir algo del diezmo en nuestros parientes, que él y las dos personas que con él fueren
nuestros parientes, deban distribuir y gastar este
diezmo en casar mozas de nuestro linaje que los
hobieren menester, y hacer cuanto favor pudieren.

Ítem: que al tiempo que se hallare en disposición,
que mande hacer una iglesia, que intitule Santa María de la Concepción, en la isla Española, en el lugar
más idóneo, y tenga un hospital el mejor ordenado
que se pueda, así como hay otros en Castilla y en
Italia, y se ordene una capilla en que se digan misas por mi ánima y de nuestros antecesores y sucesores con mucha devoción: que placerá a Nuestro
Señor de nos dar tanta renta que todo se podrá
cumplir lo que arriba dije.

Ítem: mando al dicho D. Diego, mi hijo, o a quien
heredare el dicho mayorazgo, trabaje de mantener
y sostener en la isla Española cuatro buenos maestros en la santa teología, con intención y estudio de
trabajar y ordenar que se trabaje de convertir a
nuestra santa fe todos estos pueblos de las Indias,
y cuando pluguiere a Nuestro Señor que la renta del
dicho mayorazgo sea crecida, que así crezca de maestros y personas devotas y trabaje para tornar estas
gentes cristianas, y para esto no haya dolor de
gastar todo lo que fuere menester; y en conmemoración de lo que yo digo y de todo lo sobrescrito,

hará un bulto de piedra mármol en la dicha iglesia de la Concepción en el lugar más público, porque traiga de continuo memoria esto que yo digo al dicho D. Diego y a todas las otras personas que le vieren, en el cual bulto estará un letrero que dirá esto.

Ítem: mando a D. Diego, mi hijo, y a quien heredare el dicho mayorazgo, que cada vez y cuantas veces se hobiere de confesar, que primero muestre este compromiso o el traslado de él a su confesor y le ruegue que le lea todo, porque tenga razón de lo examinar sobre el cumplimiento de él, y sea causa de mucho bien y descanso de su ánima. Jueves, en 22 de febrero de 1498.—*El Almirante.*

En la noble villa de Valladolid, a 19 días del mes de mayo, año del nacimiento de Nuestro Salvador Jesucristo de 1506, por ante mí, Pedro de Hinojedo, Escribano de Cámara de Sus Altezas y Escribano de provincia en la su Corte e Chancillería e su Escribano e Notario Público en todos los sus Reinos y Señoríos, e de los testigos de suyo escritos, el Sr. D. Cristóbal Colón, Almirante e Visorrey e Gobernador General de las islas e tierra firme de las Indias descubiertas e por descubrir que dijo que era; estando enfermo de su cuerpo, dijo que, por cuanto él tenía fecho su testamento por ante escribano público, que él agora retificaba e retifica el dicho testamento, e lo aprobaba e aprobó por bueno, e si necesario era, lo otorgaba e otorgó de nuevo. E agora, añadiendo el dicho su testamento, él tenía escrito de su mano e letra un escrito que ante mí el dicho escribano mostró e presentó, que dijo que estaba escrito de su mano e letra e firmado de su nombre, que él otorgaba e otorgó todo lo contenido en el dicho escrito, por ante mí el dicho escribano, según e por la vía e forma que en el dicho escrito se contenía, e todas las mandas en él contenidas para que se cumplan e valgan por su última postrimera voluntad. E, para cumplir el dicho su testamento que él tenía y tiene hecho e otorgado e todo lo en él contenido, cada una cosa e parte de ello, nombraba e nombró por sus testamentarios e complidores de su ánima el Sr D. Diego Colón, su hijo, e a D. Bartolomé Colón, su hermano, e a Juan de Porras, Tesorero de Vizcaya, para que ellos todos tres cumplan su testamento e todo lo en él contenido e en el dicho escrito e todas las mandas e legatos e obsequias en él contenidas. Para lo cual dijo que daba, dio, todo su poder bastante e otorgaba e que otorgó, ante mí el dicho escribano, todo lo contenido en el dicho escrito, e a los presentes dijo que rogaba e rogó que de ello fuesen testigos. Testigos que fueron presentes, llamados e rogados a todo lo que dicho es de suso, el Bachiller Andrés Mirueña e Gaspar de la Misericordia, vecinos de esta dicha villa de Valladolid, e Bartolomé de Fresco e Alvaro Pérez e Juan Despinosa e Andrea e Hernando de Vargas e Francisco Manuel e Fernán Martínez, criados del dicho Sr. Almirante. Su temor de la cual dicha escritura, que estaba escrita de letra e mano del dicho Almirante e firmada de su nombre, *de verbo ad verbum,* es este que se sigue:

Cuando partí de España el año de quinientos e dos, yo fice una ordenanza e mayorazgo de mis bienes e de lo que entonces me pareció que cumplía a mi ánima e al servicio de Dios eterno e honra mía e de mis sucesores: la cual escritura dejé en el monesterio de las Cuevas de Sevilla a Frey D. Gaspar, con otras mis escrituras e mis privilejos e cartas que tengo del Rey e de la Reina Nuestros Señores. La cual ordenanza apruebo e confirmo por ésta, la cual yo escribo a mayor cumplimiento e declaración de mi intención. La cual mando que se cumpla ansí como aquí declaro e se contiene, de lo que se cumpliere por ésta no se faga nada por la otra, porque no sea dos veces.

Yo constituí a mi caro hijo D. Diego por mi heredero de todos mis bienes e oficios que tengo de juro y heredad, de que hice en el mayorazgo, y non, habiendo el fijo heredero varón, que herede mi hijo D. Fernando por la misma guisa, e, non habiendo él fijo varón heredero, que herede D. Bartolomé, mi hermano, por la misma guisa, e por la misma guisa, si no tuviere hijo heredero varón, que herede otro mi hermano: que se entienda así, de uno a

otro el pariente más llegado a mi línea, y esto sea
para siempre. E non herede mujer, salvo si no fal-
tase no se fallar hombre, e si esto acaesciese sea la
mujer más allegada a mi línea.

E mando al dicho D. Diego, mi hijo, o a quien heredare, que no piense ni presuma de amenguar el
dicho mayorazgo, salvo acrecentalle e ponello: es
de saber que la renta que él hubiere sirva con su
persona y estado al Rey e la Reina Nuestros Señores e al acrecentamiento de la religión cristiana.

El Rey e la Reina Nuestros Señores, cuando yo
les serví con las Indias (digo serví, que parece que
yo, por la voluntad de Dios Nuestro Señor se las di,
como cosa que era mía, puédolo decir, porque im-
portuné a Sus Altezas por ellas, las cuales eran igno-
tas e abscondido el camino a cuantos se fabló de
ellas), e para las ir a descubrir allende de poner el
aviso y mi persona, Sus Altezas no gastaron ni quisieron gastar para ello, salvo un cuento de maravedís, e a mí fue necesario de gastar el resto: ansí
plugo a Sus Altezas que yo hubiese en mi parte de
las dichas Indias, islas e tierra firme que son al Poniente de una raya que mandaron marcar sobre las
islas de los Azores y aquellas del Cabo Verde cien
leguas, la cual pasa de polo a polo, que yo hubiese
en mi parte el tercio y el ochavo de todo e más el
diezmo de lo que está en ellas, como más largo se
amuestra por los dichos mis privilegios e cartas de
merced.

Porque fasta agora no se ha habido renta de las
dichas Indias porque yo pueda repartir de ella lo
que de ella aquí abajo diré, e se espera en la misericordia de Nuestro Señor que se haya de haber
bien grande, mi intención sería y es que D. Fernando, mi hijo, hobiese de ella un cuento y medio
en cada un año, e D. Bartolomé, mi hermano, ciento
y cincuenta mil maravedís, e D. Diego, mi hermano,
cien mil maravedís, porque es de la Iglesia. Mas esto
no lo puedo decir determinadamente, porque fasta
agora non he habido ni hay renta conocida, como
dicho es.

Digo, por mayor declaración de lo susodicho, que
mi voluntad es que dicho D. Diego, mi hijo, haya el

dicho mayorazgo con todos mis bienes e oficios, cómo e por la guisa que dicho es, e que yo los tengo. E digo que toda la renta que él toviere por razón de la dicha herencia, que haga él diez partes de ella cada un año, e que la una parte de estas diez las reparta entre nuestros parientes, los que parecieren haberlo más menester, e personas necesitadas y en otras obras pías. E después, de estas nueve partes tome las dos de ellas e las reparta en treinta y cinco partes, e de ellas haya D. Fernando, mi hijo, las veintisiete e D. Bartolomé haya las cinco e D. Diego, mi hermano, las tres. E porque, como arriba dije, mi deseo sería que D. Fernando, mi hijo, hobiese un cuento y medio e D. Bartolomé ciento y cincuenta mil maravedís e D. Diego ciento, e no sé cómo esto haya de ser, porque fasta ahora la dicha renta del dicho mayorazgo no está sabida ni tiene número, digo que se siga esta orden que arriba dije fasta que placerá a Nuestro Señor que las dichas dos partes de las dichas nueve abastarán y llegarán a tanto acrecentamiento que en ellas habrá el dicho un cuento y medio para D. Fernando e ciento y cincuenta mil para D. Bartolomé e cien mil para D. Diego. E cuando placerá a Dios que esto sea o que si las dichas dos partes, se entienda de las nueve sobredichas, llegaren contía de un cuento e setecientos e cincuenta mil maravedís, que toda la demasía sea e la haya D. Diego, mi hijo, o a quien heredare; e digo e ruego al dicho D. Diego, mi hijo, o a quien heredare, que si la renta de este dicho mayorazgo creciere mucho, que me hará placer acrecentar a D. Fernando e a mis hermanos la parte que aquí va dicha.

Digo que esta parte que yo mando dar a D. Fermando, mi hijo, que yo fago de ella mayorazgo en él, e que le suceda su hijo mayor, y ansí de uno en otro perpetuamente, sin que la pueda vender ni trocar ni dar ni enajenar por ninguna manera, e sea por la guisa y manera que está dicho en el otro mayorazgo que yo he fecho en D. Diego, mi hijo.

Digo a D. Diego, mi hijo, e mando que tanto que él tenga renta del dicho mayorazgo y herencia, que pueda sostener en una capilla, que se haya de facer,

tres capellanes que digan cada día tres misas, una
a honra de la Santa Trinidad e otra a la Concepción
de Nuestra Señora e la otra por ánima de todos los
fieles defuntos, e por mi ánima e de mi padre e madre e mujer. E que si su facultad abastare, que haga
la dicha capilla honrosa y la acreciente las oracio-
nes e preces por el honor de la Santa Trinidad e si
esto puede ser en la isla Española, que Dios me
dio milagrosamente, holgaría que fuese allí adonde
yo la invoqué, que es en la vega que se dice de la
Concepción.

Digo y mando a D. Diego, mi hijo, o a quien heredare, que pague todas las deudas que dejo aquí en
un memorial, por la forma que allí dice, e más las
otras que justamente parecerá que yo deba. E le
mando que haya encomendada a Beatriz Enríquez,
madre de D. Fernando, mi hijo, que la provea que
pueda vivir honestamente, como persona a quien
yo soy en tanto cargo. Y esto se haga por mi descargo de la conciencia, porque esto pesa mucho para
mí ánima. La razón de ello non es lícito de la escrebir aquí. Fecha a 25 de agosto de 1505. Sigue *Chris-
to ferens*. Testigo que fueron presentes e vieron facer e otorgar todo lo susodicho al dicho Sr. Almirante, según e como dicho es de suso: los dichos
Bachiller de Mirueña, Gaspar de la Misericordia, vecinos de la dicha Villa de Valladolid, e Bartolomé de
Fresco e Alvar Pérez y Juan Despinosa e Andrea e
Fernando de Vargas e Francisco Manuel e Fernán
Martínez, criados del dicho Sr. Almirante. E yo, el
dicho Pedro de Hinojedo, Escribano e Notario Público susodicho, en uno con los dichos testigos, a
todo lo susodicho presente fui. E, por ende, fice
aquí este mi signo atal. En testimonio de verdad,
Pedro de Hinojedo, Escribano.

Relación de ciertas personas a quien yo quiero
que se den de mis bienes lo contenido en este memorial, sin que se le quite cosa alguna de ello. Hásele
de dar en tal forma que no sepa quién se las manda dar.

Primeramente a los herederos de Jerónimo del
Puerto, padre de Benito del Puerto, Chanceller en
Génova, veinte ducados o su valor.

A Antonio Vazo, mercader ginovés, que solía vivir en Lisboa, dos mil e quinientos reales de Portugal, que son siete ducados poco más, a razón de trescientos e sesenta y cinco reales el ducado.

A un judío que moraba a la puerta de la judería en Lisboa o a quien mandare un sacerdote, el valor de medio marco de plata.

A los herederos de Luis Centurión Escoto, mercader ginovés, treinta mil reales de Portugal, de los cuales vale un ducado trescientos ochenta y cinco reales, que son sesenta y cinco ducados poco más o menos.

A esos mismos herederos y a los herederos de Paulo de Negro, ginovés, cien ducados o su valor. Han de ser la mitad a los unos herederos y la otra a los otros.

A Baptista Espíndola o a sus herederos, si es muerto, veinte ducados. Este Baptista Espíndola es yerno del sobredicho Luis Centurión, era hijo de Micer Nicolao Espíndola de Locoli de Ronco, y, por señas, él fue estante en Lisboa el año de 1482.

La cual dicha memoria e descargo sobredicho, yo el Escribano doy fe que estaba escripta de la letra propia del dicho testamento del dicho D. Cristóbal, en fe de lo cual firmé de mi nombre. Pedro de Azcoytia.